쓸모없는
지식의 쓸모

에이브러햄
플렉스너
–
로버트
데이크흐라프
지음

김아림 옮김

쓸모없는
지식의 쓸모

세상을 바꾼 과학자들의
순수학문 예찬

The Usefulness
of Useless Knowledge

책세상

일러두기

1. 옮긴이 주는 [ ]에 넣었다.

2. 단행본, 정기간행물은《 》, 논문, 시, 영화 등은 〈 〉로 표기했다.

3. 외국 인명과 지명 등은 국립국어원 외래어표기법을 따르는 것을 원칙으로 했다. 몇몇 경우는 관용적 표기를 따랐다.

목차

내일의
세계

—

로버르트
데이크흐라프

1939년 4월 30일, 미국 뉴욕주 퀸스의 플러싱 메도스 공원에서 전쟁의 먹구름 아래 뉴욕 세계 박람회가 열렸다. 박람회의 주제는 '내일의 세계'였다. 앞으로 18개월 동안 약 4,500만 명의 방문객들은 새로 출현하는 기술이 미래를 어떻게 만들어갈지 관람할 예정이었다. 전시된 혁신적 기술 가운데 일부는 그야말로 환상적이었다. 이 박람회에는 예컨대 최초의 자동 식기세척기, 에어컨, 팩스가 등장했다. 프랭클린 루스벨트Franklin Roosevelt 대통령의 개막 연설을 생방송으로 중개하면서 미국에 텔레비전이 도입되었다. 뉴스 영화Newsreels에는 키가 2.1미터에 어색하게 움직이는 알루미늄 로봇인 모토맨 일렉트로가 등장해 78아르피엠rpm 음반을 틀면서 말을 하고, 담배를 피우며, 로봇 개 스파르코와 놀았다. 또한 웅장한 증기기관차 같은 변화무쌍한 여러 볼거리들은 어제의 세계가 최후를 맞았다는 사실을 보여주었다.

과학 자문 위원회의 명예 의장을 맡은 알베르

트 아인슈타인Albert Einstein이 주재한 공식 점등식
이 텔레비전으로 생중계되었다. 아인슈타인은 바
깥 우주에서 지구로 날아드는 높은 에너지의 아원
자 입자들로 이루어진 우주선을 군중에게 알렸다.
이 행사는 실수로 인한 일련의 희극으로 묘사되었
다. 일단 아인슈타인이 연설을 시작하자마자 확성
기 시스템에 문제가 생겨 연설을 전달할 수 없었
다. 열 개의 우주선을 포획하는 개막 행사도 대실
패로 끝났다. 아원자 입자들은 전화선을 통해 맨해
튼의 헤이든 플라네타리움에서 퀸스의 박람회장
으로 전송되어 종소리와 불빛으로 도착을 알릴 예
정이었다. 열 번째 우주선이 포획되었을 때 정전이
일어나 관중은 크게 실망했고 모두 자리를 떠났다.
다음 날 《뉴욕 타임스New York Times》의 보도에 따르
면 "군중은 과학이 박수를 보낼 만한 구경거리가
아니라는 사실이 드러나자 이내 자리를 떠났다".

세계 박람회장에서 곧 세계를 지배할 두 가지
의 과학적 발견, 즉 핵에너지와 전자 컴퓨터를 찾아

로버르트
데이크흐라프

볼 수 없었다. 놀랍게도 두 기술의 시작점은 1933년 이후로 아인슈타인의 학문적 고향이었던 뉴저지주의 프린스턴 고등연구소였다. 연구소는 초대 소장이었던 에이브러햄 플렉스너Abraham Flexner의 발명품이었다. 이곳은 학생도, 행정 의무도 없는 '학자들의 천국'으로, 학계 스타들이 일상 문제나 실용적인 응용과는 가능한 한 멀리 떨어진 채 깊은 생각에 온전히 집중할 수 있는 장소였다. 또한 '방해나 제약 없이 쓸모없는 지식 추구하기'라는 플렉스너의 상상이 구현된 장소였다. 그 지식이 고작 수십 년 활용될 뿐이라 해도 상관없었다.

하지만 예상보다 훨씬 빨리 쓸모없는 지식의 예기치 못한 유용성이 발견되었다. 이 학자들의 천국을 세웠던 플렉스너는 의도하지 않게 핵과 디지털 분야의 혁명을 일으켰다. 플렉스너가 누구보다 먼저 임명한 사람 중에는 아인슈타인이 있었다. 아인슈타인은 세계 박람회의 연설에 이어 1939년 8월 루스벨트 대통령에게 보낸 유명한 편지를 통해 원자폭탄 제작 프로젝트를 시작하자고 촉구했다. 닐스 보어Niels Bohr와 존 휠러John Wheeler가 쓴 핵분열 메커니즘에 관한 획기적인 논문은 2차 세계대전이 발발한 1939년 9월 1일《피지컬 리뷰Physical Review》에 발표되었다.

일찍이 플렉스너의 간택을 받은 또 다른 인물은 헝가리 출신의 수학자 존 폰 노이만John von Neumann이다. 마치 외계인처럼 똑똑했던 노이만은 아마도 아인슈타인보다 더 대단한 천재일지 모른다. 노이만은 '화성인들'이라는 모임의 일원이었는데, 이 모임에는 에드워드 텔러Edward Teller, 유진 위그너Eugene Wigner, 아인슈타인이 루스벨트 대통령에게 보낸 편지의 초안을 함께 쓴 물리학자 레오 실라드Leo Szilard 등 헝가리의 저명한 과학자들과 수학자들이 참여했다. 물리학 분야에서 전해져 내려오는 이야기에 따르면, 엔리코 페르미Enrico Fermi가 연구가 생각대로 진행되지 않아 답답한 마음에 지구를 알아서 찾아낼 만한 우수하고 재능 있는 외계인

로버트
데이크흐라프

들은 모두 어디 있느냐고 묻자, 실라드가 장난스럽게 대답했다고 한다. "그들은 우리 가운데 있지. 다만 자신을 외계인이 아니라 헝가리인이라고 부른다네."

노이만이 초기에 거둔 명성은 순수 수학과 양자 이론의 기초 연구에 기반을 둔다. 노이만은 1930년대에 미국의 논리학자 알론조 처치Alonzo Church와 함께 프린스턴 대학교를 수리 논리학의 중심으로 만들어 쿠르트 괴델Kurt Gödel, 앨런 튜링Alan Turing 같은 권위자들을 끌어들였다. 노이만은 수학의 정리들을 기계적으로 증명할 수 있는 보편 계산 기계에 관한 튜링의 추상적인 아이디어에 매료되었다. 핵폭탄 프로그램에 참여해 대규모의 수치 모델링 작업이 필요할 때, 노이만은 튜링의 보편 기계를 물리적으로 구현시킨 디지털 컴퓨터를 설계하고 구축했으며, 프로그래밍할 엔지니어들을 소집했다. 1946년에 노이만은 그 상황을 두고 이렇게 말했다. "나는 폭탄보다 훨씬 중요한 무언가를 염두에 두고 있었다. 바로 컴퓨터였다."

노이만은 자신이 이끄는 연구팀에게 무기 말고 다른 여러 문제를 해결하기 위한 새로운 계산 능력에 초점을 맞추도록 지시했다. 노이만은 예컨대 1949년에 기상학자 줄 차니$^{Jule Charney}$와 함께 수량적인 기후 예측 시스템을 최초로 만들었다. 내일의 날씨를 예측하는 데 48시간이 걸렸던 만큼 정확히 말하면 예측이라기보다는 '사후 추정'이었지만 말이다. 노이만은 오늘날 실제로 일어나는 기후 변화를 예견하고, 지구의 날씨와 기후 연구에 대해 다음과 같이 썼다. "이 모든 것이 전 세계를 완전히 융합시킬 것이다. 핵무기의 위협을 비롯해 과거의 모든 전쟁보다 그 파급력은 강력할 것이다."

수학의 정리나 원자핵의 구조에 관한 고도로 기술적인 논문을 증명할 수 있는 논리 기계란 언뜻 쓸모없어 보일지도 모른다. 사실 이것은 우리 삶의 방식을 알아볼 수 없을 만큼 혁신시킨 기술을 개발

로버르트
데이크흐라프

하는 데 중요한 역할을 했다. 이렇게 호기심에 이끌려 물질과 계산의 근원을 파고든 연구들이 핵무기와 디지털 컴퓨터의 발달로 이어졌고, 두 기술은 군사적 기술적으로 세계 질서를 영구적으로 뒤흔들었다. 우리는 '유용한' 지식과 '유용하지 않은' 지식을 모호하고 인위적으로 구별하는 대신 노벨상 수상자인 영국 출신의 화학자 조지 포터George Porter의 주장을 참고할 수 있다. 포터는 지식의 유용성 여부를 두고 '응용된 연구'와 '아직 응용되지 않은' 연구로 나누자고 말했다.

응용된 연구와 아직 응용되지 않은 연구라는 구별법을 따르는 일은 현명할 뿐 아니라 사회적으로 꼭 필요한 일이다. 수많은 중요한 방식으로 사회에 공급되는 과학적 혁신을 가동하고 장려하기 위해서는, 잘 관리된 금융 자원에 접근하는 것처럼 연구 포트폴리오를 충분히 개발하는 것이 더욱 생산적이다. 균형 잡힌 포트폴리오는 예측 가능하고 안정적인 단기 투자는 물론, 본질적으로 더욱 위험하지만 어마어마한 보상을 얻을 수 있는 장기적인 투자를 포함한다. 건강하고 균형 잡힌 생태계라면 상호의존성과 피드백 고리가 어우러져 복잡한 망을 육성할 수 있는 완전한 범위의 학문을 지원할 것이다.

하지만 불완전한 '계량 분석'과 정책의 지배를 받는 현재의 연구 풍토가 이런 세심한 접근법을 방해하고 있다. 갈수록 심각해지는 자금 부족, 경제적 불확실성과 전 세계적인 정치적 혼란, 점점 짧아지는 연구 시간 주기 때문에 연구의 기준은 즉각적인 문제를 해결하는 쪽으로 기울고 있다. 이는 장기적으로 인간의 상상력이 가져올 수 있는 거대한 진보를 놓치고, 보수적인 단기 목표에 위험하리만치 경도되어 있다. 플렉스너의 시대에 그랬던 것처럼 현재와 미래 세계의 진보는, 기술적인 전문지식뿐만 아니라 당장의 실용적인 고려와는 반대로 거칠 것 없는 호기심과 그것이 주는 이득, 즐거움에 달려 있다.

로버르트
데이크흐라프

에이브러햄 플렉스너는 어떤 인물이었으며, 그는 어떻게 규정과 제약 없는 학문이 갖는 위력에 확고한 신념을 갖게 되었을까? 플렉스너는 1866년 미국 켄터키주 루이빌에서 9남매 중 한 명으로 태어났다. 부모님은 체코의 서부 지역인 보헤미아에서 온 유대인 이민자였다. 1873년의 공황으로 가족의 사업이 망하는 바람에 갑작스럽게 경제적 어려움을 겪었지만, 플렉스너는 형 제이컵 Jacob 의 도움을 받아 존스홉킨스 대학교에 다닐 수 있었다. 그 대학은 논란의 여지 없는 미국 최초의 현대적인 연구 대학이었다. 플렉스너는 외국의 일류 대학들과 견줄 만한 존스홉킨스 대학교의 선진적인 시설과 기회를 접하면서 관점의 대전환을 맞이한다. 그 후 플렉스너는 연구와 교육 분야의 비평가이자 개혁가로 평생을 바쳤다. 플렉스너는 2년 만에 고전 과목에서 학사 학위를 취득한 뒤, 루이빌로 돌아와 대학 진학 예비학교를 열었다. 이 예비학교는 개인이 가진 창조력의 깊은 확신과 동시에 그런 재능을 기르는 기관을 깊이 불신하는 플렉스너의 신념에 기반을 두고, 그의 획기적인 아이디어를 구현한 곳이었다.

1908년 플렉스너는 소규모 교실에서 직접 가르치는 방식을 강하게 지지하는《미국의 대학: 비평 The American College: A Criticism》이라는 저서로 주목을 받았다. 플렉스너가 명성을 얻은 이유는 카네기 재단의 의뢰를 받고 1910년에 작성한 이른바 〈폭탄 선언 보고서 Bombshell Report〉 덕분이었다. 플렉스너는 이 보고서에서 북아메리카에 있는 155개 의과대학의 상황을 다루었는데, 그는 상당수의 대학을 학생들에게 실용적인 훈련을 전혀 제공하지 않는 사기꾼이자 무책임하게 이윤을 추구하는 기계로 낙인찍었다. 플렉스너는 수치스럽고 불명예스러우며 심지어 허구적인 기관이라고 그 대학들을 폄하했고, 특히 시카고 대학교를 "해당 지역에 전염병을 일으킨 중심지"라고 일갈했다. 〈플렉스너 보고서Flexner Report〉가 가져온 효율적인 성과는 모든 자문 위원회가 꿈꾸던 결과였다. 이 보고서의 파급력으로 인해 의과대학의 거의 절반이 폐교했고, 나머지 대학에서 전면적인 개혁이 일어났으며, 미국의 생의학 분야에서 현대적인 연구가 시작되었다.

플렉스너는 그동안 보여준 학문적 노력과 비전을 인정받아 1912년 록펠러재단의 일반교육 위원회에 합류할 수 있었다. 덕분에 플렉스너는 고등교육과 자선사업에서 영향력을 발휘할 지명도와 자원을 추가로 얻을 수 있었다. 플렉스너는 곧 사무국장이 되었고, 1927년에 은퇴할 때까지 직책을 유지했다. 이런 역량을 바탕으로《쓸모없는 지식의 쓸모The Usefulness of Useless Knowledge》에 담긴 아이디어가 탄생했다. 이 에세이는 1939년 10월《하퍼스Harper's》에 실렸지만, 그 싹은 1921년 교육 위원회에서 작성한 내부 메모에서 시작되었다. 1920년대에 플렉스너는 유럽 전역의 고등 교육기관을 주의 깊게 연구했다. 그 대상은 영국과 프랑스의 오래된 대학에서 산업과 강하게 연계된 독일의 현대적인 연구 대학과 연구소를 망라했다. 플렉스너는 1928년에 영국의 옥스퍼드 대학교 올 소울 칼리지에 머무는 동안, 로즈 트러스트Rhodes Trust 추모 강연을 맡으면서 대학과 연구 기관의 미래에 관한 생각을 굳혔다. 플렉스너는 호평 일색이었던 강의 세 편의 내용을 확장해《대학: 미국, 영국, 독일Universities: American, English, German》(1930)이라는 제목으로 출간했다. 대공황을 비롯해 1930년대에 2차 세계대전을 일으켰던 정치적인 불안은 독립적인 학문의 필요성을 주장하는 그의 생각을 더욱 날카롭게 벼리는 데 영향을 끼쳤다.

플렉스너는 1929년 루이스 뱀버거Louis Bamberger와 그의 여동생 캐럴라인 뱀버거 풀드Caroline Bamberger Fuld의 대리인을 만나면서 자신의 숭고한 이상을 실천에 옮길 기회를 얻었다. 뱀버거 가문은 월 스트리트가 붕괴하기 불과 몇 주 전에 원조 뉴

어크 백화점을 메이시 백화점에 팔아넘겨 막대한 이익을 남겼다. 뱀버거 가문은 이 돈으로 인종, 종교, 민족적 편견이 없는 의료기관을 설립하려 했지만, 플렉스너는 제한과 규정이 없는 학문을 전담하는 연구소를 설립하도록 후원자들을 설득했다. 1930년에 플렉스너는 프린스턴 고등연구소를 창립한 초대 소장이 되었다.

프린스턴 고등연구소의 사명과 비전은 유럽의 정세 변화에 따라 급격히 확장되었다. 히틀러가 권력을 잡아 가혹한 법으로 유대인 과학자들을 독일에서 망명하게 했던 1933년에 아인슈타인을 비롯한 초대 구성원들이 프린스턴 고등연구소에 도착했다. 플렉스너는 형제인 사이먼Simon, 버나드Bernard의 도움을 받아 록펠러재단과 협력하여 가능한 한 많은 학자를 미국으로 초빙했다. 유럽 출신의 인재가 미국으로 유입되면서 전 세계 학계의 균형은 극적으로 바뀌었다. 1939년 5월, 플렉스너는 마지막 연례 보고서에 이렇게 적었다. "우리는 그야말로 획기적인 시대에 살고 있다. 인류 문화의 중심이 바로 우리 눈앞에서 이동하고 있다… 현재 인류 문화의 중심에 미국이 있다… 우리가 용기와 상상력을 가지고 행동한다면, 앞으로 50년 뒤에 역사가들은 과거를 되돌아보면서 우리 시대에 학문의 무게중심이 대서양을 건너 미국으로 이동했다고 기록할 것이다." 플렉스너는 이를 실현하고자 누구보다 많은 일을 했다. 1959년 플렉스너가 92세의 나이로 세상을 떠났을 때, 그의 부고문은《뉴욕 타임스》1면에 다음의 결론을 가진 사설과 함께 실렸다. "플렉스너는 그가 살던 시기의 어떤 미국인보다도 이 나라와 나아가 인류 일반의 복지에 커다란 기여를 했다."

—

우연한 발견에 힘입은 인간의 호기심이야말로 진정으로 혁신적인 아이디어와 진보적 기술을 가로

로버르트
데이크흐라프

막는 정신적 벽을 부술 만한 강력한 힘이라는 것
이 플렉스너의 확고한 지론이었다. 플렉스너는 사
후적인 판단과 깨달음이 있어야만 지식의 긴 궤적
을 분별할 수 있다고 믿었다. 그러한 지식은 아무
제약 없는 질문에서 시작해 실질적 적용으로 끝이
난다.

플렉스너는 마이클 패러데이Michael Faraday와
제임스 클러크 맥스웰James Clerk Maxwell이 수행했던
전자기학의 본질에 관한 획기적인 연구가 어떤 결
과를 가져왔는지 훌륭하게 설명한다. 그는 에프엠
FM 라디오와 텔레비전이 미국에 도입된 1939년을
되짚었다. 아인슈타인의 사무실에는 이 영국 물리
학자 두 명의 초상화가 걸려 있었다고 한다. 유명
하지만 출처가 불분명한 일화에 따르면, 1850년경
에 영국 재무장관이었던 윌리엄 글래드스턴William
Gladstone이 패러데이의 실험실을 방문했다가 그의
전기 실험이 국가에 어떤 실용적 도움이 되는지를
물었다. 패러데이는 이렇게 대답했다. "언젠가는

도움이 될 겁니다, 장관님. 그러면 세금을 많이 거두어들일 수 있을 겁니다." 패러데이의 방정식은 특허를 받지 못했지만, 오늘날 전기나 무선 통신을 활용하지 않는 인류 문명은 상상하기 힘들다. 1세기 하고도 반이 지나면서, 전기가 없는 인류의 삶을 상상하기 어렵게 되었다.

20세기 초에 발전한 원자 연구와 양자 역학 분야는 젊은 물리학자들의 이론적인 놀이터가 되었다. 당시의 물리학을 '소년들의 물리학Knaben-physik'이라 부를 정도였다. 물론 즉각적인 성과는 거의 없었다. 이처럼 양자 이론의 탄생 과정은 길고 고통스러웠다. 독일의 물리학자 막스 플랑크Max Plank는 1900년에 처음 발표한 혁명적인 논문에서 에너지가 다발이나 비연속적인 '양자'를 통해서만 나타나는 것을 '필사적인 행동'이라고 묘사했다. 플랑크는 "당시 내가 알고 있던 물리학 원리에 대해 무엇이든 제안할 용의가 있었다"라고 말했다. 플랑크의 전략은 무척 성공적이었다. 양자 이론이 없다면 우리는 색깔과 질감, 화학적 특성과 핵의 특성을 포함한 물질의 어떤 속성도 제대로 이해할 수 없을 것이다. 마이크로프로세서, 레이저, 나노 기술에 전적으로 의존하는 오늘날, 미국 국민총생산의 30퍼센트는 양자 역학에 의해 탄생한 발명에 기초한다고 추정된다. 앞으로 첨단기술 산업이 급속히 발전하고 양자 컴퓨터가 등장할 것이라 기대되는 상황에서 이 비율은 더욱 증가할 것이다. 100년이 채 되지 않아 젊은 물리학자들의 난해한 물리 이론이 현대 경제의 주축으로 자리한 것이다.

1905년에 발표된 아인슈타인의 상대성 이론이 전혀 예상치 못한 방식으로 우리의 일상생활에 활용되는 데 비슷한 시간이 걸렸다. 오늘날의 유동적인 사회에서 위치와 시간 정보를 제공하는 인공위성 항법 체계GPS의 정확성은 궤도를 도는 위성의 시간 신호를 어떻게 읽는지에 달려 있다. 지구의 중력장과 위성의 운동 때문에 시계는 빨라졌다 느려졌다 하며, 하루에 약 38밀리초 움직인다. 즉,

아인슈타인의 이론이 없었다면 GPS 추적 장치는 하루에 약 11킬로미터 부정확했을 것이다. 100여 년에 걸쳐 자유롭게 흐른 생각과 실험이 날마다 우리에게 방향을 안내하는 기술적 발전으로 이어진 것이다.

다소 비현실적인 연구에서 실제 응용으로 가는 길은 일방향적인 직선 경로가 아니다. 그 길은 복잡하고 순환적이며, 비현실적 연구의 결과로 나타난 기술은 매우 근본적인 발견을 일깨운다. 1911년에 네덜란드의 물리학자 헤이커 카메를링 오너스Heike Kamerlingh Onnes가 발견한 초전도 현상을 예로 들어보자. 특정 재료를 초저온으로 냉각할 때, 어떤 저항 없이 전기를 전도시키기 때문에 결과적으로 아무런 비용 없이 대량의 전기를 흐르게 한다. 이렇게 만들어진 강력한 자석은 혁신적인 응용으로 수없이 이어졌다. 예컨대 열차가 자기장을 따라 공중 부양하면서 빠르게 이동하는 자기부상열차 기술, 진단이나 치료를 위해 자세하게 뇌를 스캔하는 데 활용되는 기능적 자기 공명 영상fMRI 기술로 이어졌다.

이러한 혁신적인 기술을 통해 초전도 현상은 여러 방면에서 기초 연구의 한계를 뛰어넘었다. 예컨대 고정밀 스캐닝은 오늘날 인간의 인식과 의식에 관한 가장 심오한 질문을 탐구하는 신경과학 분야의 발전을 이끌었다. 초전도 현상은 양자 컴퓨터의 발달을 비롯해 지금 우리가 상상할 수 없는 계산 능력을 창출할 이다음 혁명에 결정적인 역할을 할 것이다. 그리고 기초 물리학 분야에서 초전도 현상은 지구상에서 가장 크고 강한 자석을 만들었다. 그 자석은 땅속 수백 미터 밑에 묻힌 강입자 충돌기의 27킬로미터짜리 고리 안에 있다. 이 충돌기는 스위스 제네바에 있는 세른CERN 실험실에 설치된 입자 가속 장치다. 2012년에는 입자 가속 장치를 통해 힉스 입자를 발견했고, 이는 입자 물리학의 표준 모델을 완성하며 최고의 성취를 거두었다. 이 성취를 통해 물리학자들은 우주의 비밀을 더욱 깊이 탐구하고 해결할 수 있었다. 놀랍게도 힉스 입자의 이해는 그 자체가 초전도 이론에 기초한다. 즉, 초전도 현상의 발견에서부터 1세기가 지나 힉스 입자의 발견에 이르기까지 분명한 경로가 존재하지만, 그것은 여러 순환 고리를 거치기에 직선 경로와는 거리가 멀다.

아마도 생명과학은 기초 지식의 발견이 강력하고 실용적인 결과를 낸다는 사실에 가장 정확하고 다양한 근거를 제공할 것이다. 인류 역사에서 가장 잘 알려지지 않은 성공담은 지난 2세기 반 동안 서양에서 의학과 위생의 발전이 어떻게 인간의 기대수명을 세 배로 만들었는지에 관한 것이다. 1953년에 디엔에이DNA의 이중나선 구조를 발견하면서 분자 생물학의 시대가 성큼 다가왔고, 유전암호와 생명의 복잡성이 가진 비밀을 조금씩 풀 수 있었다. 1970년대 재조합 DNA 기술이 출현하고, 2003년에 인간 게놈 프로젝트가 완결되면서 제약 연구 분야에 혁명이 일어났고 현대의 생명공학 산업이 처음 탄생했다. 오늘날 유전자 편집을 위한 CRISPR-Cas9 기술은 과학자들이 유전자를 무한한 잠재력을 지닌 존재로 거듭나게 한 대표 사례다. 예컨대 유전자는 질병을 예방하고 치료하며 농업 기술과 식량 안보를 향상시킬 수 있다. 우리는 이런 획기적인 발견들, 즉 건강과 질병 치료에 미칠 막대한 결과들이 사실 즉각적인 응용에 관심을 두지 않고 생명 체계에 관한 심오하고 근원적인 질문을 해결하려는 과정에서 나타난 산물이라는 점을 잊지 말아야 한다.

—

'쓸모없는 지식의 쓸모'라는 플렉스너의 관점이 중요성을 갖고 폭넓게 다루어진 것은 그의 시대에 이르러서였다. 무엇보다 플렉스너가 정밀한 과학적 근거를 들어 주장하듯이, 기초 연구는 분명 그 자체로 지식을 발전시킨다. 과학자들의 근본적인 질문은 과학자들의 탐사를 상류까지 가능한 한 멀리 거슬러 올라가게 한다. 그 과정에서 구체적인 응용과 심화 연구로 이어지는 아이디어들이 천천히, 그리고 꾸준히 생성된다. 흔히 말하듯이 지식은 사용하면 사용할수록 늘어나는 유일한 자원이다.

둘째로, 선구적인 연구는 종종 예측할 수 없는 간접적인 방식으로 새로운 도구나 기술의 발전으로 이어진다. 20세기 후반인 1989년, 월드와이드웹www의 도입이 자동 정보 공유 소프트웨어의 개발로 이어진 우연한 성과가 그 인상적인 사례다. 세른의 입자 가속기 실험실에서 일하는 수천 명의 입자 물리학자들이 사용하던 협업 도구에서 시작된 월드와이드웹이 1993년에 사람들에게 공유되었고, 대중에게 인터넷의 위력을 알리며 전 세계적인 대규모 통신을 촉진했다. 입자 실험에서 생산된 많은 양의 데이터를 저장하고 처리하기 위해 그리드 컴퓨팅과 클라우드 컴퓨팅이 개발되었고, 이 기술이 전 세계에 걸친 거대한 가상 네트워크의 컴퓨

로버트
데이크흐라프

터들을 연결했다. 클라우드 기술은 각종 서비스와 쇼핑에서 엔터테인먼트, 소셜미디어에 이르기까지 여러 인터넷 비즈니스 애플리케이션에 동력을 공급한다.

셋째, 호기심이 추동하는 연구는 전 세계에서 가장 뛰어난 사람들을 이끈다. 근본적인 질문이 제기하는 지적 도전에 이끌린 젊은 과학자들과 학자들은 완전히 새로운 사고방식과 기술을 활용하도록 훈련받는다. 일단 이 기술이 사회로 옮겨지면, 기술이 변형되어 다른 효과를 불러일으킬 수 있다. 우아한 수학 방정식에서 복잡한 자연 현상을 포착하도록 배운 과학자들은, 그 기술을 사회와 산업계의 다른 분야에 응용한다. 금융과 사회 데이터의 정량적 분석이 그 사례이다.

넷째, 기초 연구의 성과로 개발된 지식의 상당 부분은 공개적으로 접근 가능해지고 있다. 이 지식은 사회 전체에 도움을 주고, 수년 혹은 수십 년 동안 아이디어를 도입하고 발전시켰던 개인들로 이

루진 좁은 집단을 넘어서 더 멀리 퍼질 수 있다. 근본적으로 진보적 지식은 특정 개인이나 기관, 국가에 의해 소유되거나 제약될 수 없다. 인터넷의 시대를 살아가고 있는 오늘날 그 지식은 정말로 공공재다.

마지막으로, 혁신적인 연구의 가장 가시적인 효과 가운데 하나는 스타트업 기업의 형태로 나타난다. 지난 수십 년 동안 새로운 산업 주체들은 기술이 상업 활동을 얼마나 강력하게 촉발할 수 있는지를 보여주었다. 오늘날 전체 경제 성장의 절반 이상이 이런 혁신에서 비롯됐다고 추정된다. 선도적인 정보 기술과 생명공학 산업의 성공은 실리콘밸리나 보스턴 지역 같은 연구 대학의 비옥한 환경에서 성장한 기초 연구의 결실이다. 이러한 환경은 종종 공공 투자의 영향을 받는다. 매사추세츠 공과대학교MIT의 추정에 따르면, MIT에서는 그동안 3만여 개가 넘는 회사를 만들고 약 460만 명을 고용했는데, 그 회사들 중에는 텍사스 인스트루먼츠

로버르트
데이크흐라프

사, 맥도널 더글러스 사, 제넨텍 사와 같은 거대 기업을 포함한다. 구글의 두 설립자 또한 스탠퍼드 대학교 대학원생 시절, 국립 과학 재단의 디지털 도서관이 지원하는 프로젝트에 소속되어 연구했다. 이 프로젝트에 투자한 정부 보조금은 최고 수준이었을 것이다.

플렉스너가 호기심과 상상력이 가진 힘을 맨 처음으로 역설한 사람은 아니었다. 《쓸모없는 지식의 쓸모》에서 플렉스너는 다음과 같이 설명했다. "호기심, 그것은 유용한 무엇으로 귀결될 수도 그렇지 않을 수도 있지만 아마도 현대적 사고방식이 지닌 가장 뛰어난 특성일 것이다. 그것은 전혀 새롭지 않다. 갈릴레오 갈릴레이Galileo Galilei, 프랜시스 베이컨Francis Bacon, 아이작 뉴턴Isaac Newton 경으로 거슬러 올라가면 절대로 구속받지 않는 호기심을 발견할 수 있다."

과학에서 상상력이 맡은 역할을 일찍이 옹호한 사람은 화학 분야의 첫 번째 노벨상 수상자인 네덜란드의 화학자 야코뷔스 헨리퀴스 판트호프Jacobus Henricus van't Hoff였다. 1874년 판트호프는 22세의 나이에 삼차원 공간 형태를 고려해야만 분자를 제대로 이해할 수 있다는 주장이 담긴 소책자를 발행했다. 그 책은 사람들이 화학에 눈을 뜨게 해주었다. 모두가 판트호프의 급진적인 통찰을 즉각 수용한 것은 아니었다. 당시 독일의 유명한 화학자이자 저명한 학술지 《응용화학 저널Journal für praktische chemie》의 편집자였던 헤르만 콜베Hermann Kolbe는 무자비한 비평을 하기도 했다. "위트레흐트 수의과 대학에서 일하는 판트호프 박사는 엄밀한 화학 연구를 믿지 않는 것 같다. 그는 수의과 대학에서 빌렸을 상상의 동물 페가수스를 타고 다니며 훨씬 편안해할 것 같다. 그렇게 화학의 파르나소스 산[그리스 신화의 아폴로와 뮤즈가 살았다고 전해지는 그리스 중부에 있는 산]으로 대담하게 비행한 다음, 자기 앞에 놓인 공간에서 원자가 어떤 위치에 놓였을지 이야기할 뿐이다."

판트호프의 주장은 국제적인 관심을 불러일으키면서 이런 비판을 직격으로 맞았다. 판트호프의 평판이 나쁘지는 않았다. 4년 뒤 판트호프는 암스테르담 대학교의 교수로 임명되었고, 1878년 '과학 속 상상력'이라는 제목의 취임 연설에서 창의성의 역할을 맹렬하게 옹호했다. 훌륭한 화학자였던 판트호프는 유명 과학자 200여 명의 전기를 수집했고, 그 안에서 유명 과학자들이 예술과 문학에 관심을 기울인 흔적을 찾았다. 그는 패러데이의 편지에서 만족스러운 인용 거리를 찾았다. "내가 무척 심오한 사상가였다거나 조숙한 사람으로 두각을 드러냈다고 여기지 말라. 나는 무척 활력 넘치고 상상력이 풍부한 사람이었고, 아라비안나이트 속 이야기를 백과사전과 마찬가지로 쉽게 믿었다."

판트호프는 200여 명의 과학자 가운데 52명이 대단한 상상력을 소유한 징후가 있었다고 보고했다. 비범한 상상력의 소유자로는 뉴턴, 고트프리트 빌헬름 라이프니츠Gottfried Wilhelm Leibniz, 르네 데카르트René Descartes 같은 지적 거물들을 포함한 열한 명의 사례가 있었고, 그들에게서 미신, 환각, 영성, 연금술, 형이상학적 사변을 추구하는 경향과 함께 '병적' 상상력이 나타났다.

20세기 이후로 상상력은 여러 분야의 과학자들과 학자들이 성공을 거두는 추동력이었다. 아인슈타인은 다음과 같이 유명한 말을 남겼다. "상상력이 지식보다 중요하다. 지식은 우리가 지금 알고 이해하는 모든 것에 한정되어 있지만, 상상력은 온 세상을 포용하며 그 모든 것은 우리가 앞으로 알고 이해하는 무언가가 될 것이다." 애플 컴퓨터 광고에 등장할 정도로 현대 문화에서 독창성의 아이콘이 된 입자 물리학자 리처드 파인먼Richard Feynman은 과학이 엄격한 방식을 통해 상상력과 결합하는 과정을 다음과 같이 표현했다. "과학적 창의성은 환자복을 입은 상상력이다."

호기심과 상상력으로 움직이는 비현실적인 연구
가 어떤 역할을 하는지 거시적인 그림을 그리는 작
업은 그 어느 때보다 시의적절하다. 플렉스너의 에
세이가 출간된 이후로 여러 사건이 발생했다. 맨
해튼 프로젝트는 전쟁 기간에 과학자들이 중대한
공헌을 한 사례였고, 또한 기초 연구가 국가와 세
계의 존립에 중요한 역할을 한다는 사실을 사람들
이 널리 깨닫는 계기가 되었다. 2차 세계대전 당시
과학 연구 개발국 장관이었던 배너바 부시Vannevar
Bush는 루스벨트 대통령의 요청에 따라, 1945년에
그런 통찰을 포착하고 전달하는 보고서를 작성했
다. 〈과학, 끝없는 한계Science, the Endless Frontier〉라는
제목의 보고서는 처음에는 미국에서, 곧 서방 세계
에서 2차 세계대전 전후 기초 과학을 지원하는 공
적 자금을 유행시켰다. 놀라운 사실은 이 보고서
를 통해 무기 연구가 즉각적으로 필요한 상황에서

도 과학과 기타 학문의 본질적인 문화적 가치를 일관적으로 강조했다는 점이다. 물리학자인 로버트 윌슨Robert Wilson이 페르미 연구소의 입자 가속기가 냉전에 사용될 가능성에 대해 1969년 의회 청문회에서 증언한 바에 따르면 "새로운 지식은 국가나 명예와는 관련이 있지만, 국가를 방어하는 것과는 직접적인 연관이 없다. 국가를 방어할 가치가 있는 곳으로 만드는 일이 아니라면 말이다". 같은 기간 미국 교육계에는 교양 교육의 전통이 되살아나 2차 세계대전 당시 지키려고 분투했던, 근본적인 가치를 붙잡는 보루인 인문학을 포용했다.

그 결과 전후 수십 년에 걸쳐 전 세계적으로 과학은 유례없이 성장했다. 그 성장에는 국립 과학 재단과 같은 기금 위원회의 설립과 연구 인프라의 대대적인 투자가 바탕이 되었다. 1957년 10월 4일 소련이 농구공 크기의 우주선을 발사하면서 미국 과학계에 결정적인 자극을 주었다. 스푸트니크호는 미국 교육계와 학계의 분수령이었다.

로버트
데이크흐라프

이 우주선의 발사를 계기로 미국은 실제 실험에 중점을 두고 과학 커리큘럼을 개혁했고, 미국항공우주국NASA을 설립해 우주 경쟁에 나섰으며, 국방부 안에 고등 연구 기관인 고등연구계획국DARPA을 설립했고, 이공계를 위한 연구 자금을 실질적으로 상향 조정했다. 오늘날 도래한 초소형 전자공학과 인터넷의 시대가 어디에서 시작되었는지 추적하면, 스푸트니크호가 직접적인 영향을 끼친 것을 볼 수 있다.

최근 수십 년 동안 과학 발전의 긍정적인 추세는 두드러지게 축소했다. 학문의 현 상황이 여러 측면에서 플렉스너가 말했던 위기를 반영하는 위태로운 단계에 이르렀다.

꾸준히 감소하는 공적 자금은 오늘날 지식 기반 사회에서 과학 산업의 확대된 역할을 따라잡기에 불충분하다. 미국의 연방 연구 개발 예산을 국내총생산에 대비해 수치화하면, 냉전과 우주 경쟁이 한창이었던 1964년에 최고치인 2.1퍼센트를 찍

었고 현재 0.8퍼센트 미만으로 꾸준히 감소했다
(예산의 절반은 국방 관련 비용으로 계속 유지되고 있다).
미국에서 의학 연구에 가장 큰 비용을 지불하고 있
는 국립보건원의 예산 또한 지난 10년간 25퍼센트
감소했다.

여기에 주주들이 행사하는 압력에 휘둘리는
산업계는 연구 활동을 꾸준히 줄였고, 그 책임을
공적 자금과 민간 자선사업으로 이전시켰다. 미국
의회의 한 위원회가 조사한 바에 따르면, 2012년
에 산업계는 기초 연구 자금의 6퍼센트만을 가져
갔고, 가장 좋은 몫인 53퍼센트는 연방 정부가 이
용했으며 나머지가 대학과 재단의 몫이었다. 그러
므로 저 유명한 벨연구소와 같은 곳이 오늘날 산
업계에 등장하기를 기대하기 어려운 상황이다. 벨
연구소는 트랜지스터와 레이저를 개발하고, 빅뱅
이론에 근거해 태초의 우주에 특징적으로 나타나
는 마이크로파 우주배경복사를 비롯한 여러 기초
연구로 여덟 개의 노벨상을 휩쓴 전력을 가지고

로버트
데이크흐라프

있다. 오늘날에는 여러 대학에서도 산업 응용 연구를 해야 한다는 부담이 더해져 기초 연구가 밀려나고 있다. 각국 정부는 깨끗하고 지속 가능한 에너지로의 전환, 기후 변화와 맞서 싸우기, 전 세계적인 전염병을 예방하기 같은 중요한 사회적 과제를 해결하는 데 점점 더 많은 연구 자금을 투입하고, 일정하거나 오히려 줄어드는 예산 안에서 그 과제를 수행하고 있다. 해당 시대의 우선순위나 정치 역학에 따라 기초 연구는 짧은 시간에 가볍게 다루어지고, 여러 번의 삭감을 거쳐 남은 빠듯한 예산이 주어진다.

기초 연구를 위한 보조금 신청의 성공률은 모든 분야에서 곤두박질치고 있는데, 경력 초반의 연구자들이 특히 그 영향을 받는다. 생명 연구 분야의 과학자들이 40대 중반은 되어야 비로소 국립보건원의 보조금을 처음으로 받을 수 있는 실정이다. 재능 있는 미래 세대 학자들의 낙담은 차치하더라도, 이러한 기회 부족은 기금 지원에 있어 대단히 결과 중심적인 접근법으로 이어졌고, 보조금을 받는 연구소들은 위험한 장기 투자에 몸을 사리고 있다. 공적 책임의 문화가 번성하며 연구 오차 범위에 압박이 가해졌는데, 그에 따라 부정적인 측면이 사라짐과 동시에 긍정적인 위험 또한 사라졌다.

연구 제안서의 품질과 영향력을 평가하는 '측정법'은 널리 인정된 틀이 없어도 좀 더 예측 가능한 목표지향적인 연구를 장려하기 위해 획기적인 연구들을 체계적으로 저평가하고 있다. 이러한 숫자 페티시즘 때문에 특히 인문 사회 분야가 고전을 면치 못하고 있다. 인문 사회 분야의 연구는 가혹한 수량적 관점에서 미묘하고 복잡한 가치나 통찰을 발견하기 어렵기 때문이다.

오늘날처럼 척도나 목표를 고정하는 문화에서 '쓸모없는 지식의 쓸모'를 실제로 어떻게 의미 있게 전달할 수 있을까? 어떤 연구가 길고 빙 돌아가는 뜻밖의 경로를 따르며, 종종 예상치 못한 풍경으로 이어지는 막다른 곳과 급커브 길을 동반한다고 할 때, 이 연구에 몇 점을 줘야 할까? 어떤 아이디어의 잠재적인 결과를 어떻게 구체적으로 표현할 수 있을까? 말로 표현하는 동시에 그것을 상자에 가두듯 제한될 수밖에 없지 않은가?

플렉스너는 기초 연구가 필연적으로 돈을 조금 낭비하기는 해도 그것이 주는 성공이 실패보다 훨씬 값지다고 생각했다. 우리는 기초 연구의 질과 그 결과를 직접적이고 예측 가능한 방식으로 연결하지 못한다. 기초 연구에 필요한 시간 주기는 오늘날 새로운 뉴스가 나오는 24시간이라는 주기는 물론이고 오늘날 정부나 기업들이 생각하는 4년보다 훨씬 길 수 있다. 예컨대 아인슈타인의 상대성이론처럼 그 아이디어의 사회적인 가치가 완전히 밝혀지려면 수년은 물론이고 수십 년, 때로는 수백 년이 걸릴 수도 있다.

게다가 직접 적용하거나 입증 가능한 상관관계를 수립하더라도, 그것이 모호하지 않은 인과관계를 갖기 어려울 수 있다. 때로 응용은 순수한 연구와 함께 나타나는데, 수많은 상호작용이 존재한다는 사실을 고려할 때 누가 누구에게 영향을 주었는지 완전히 명백하지 않다. 지식은 굽이쳐 흐를뿐 아니라 바다로 흘러가는 강의 삼각주처럼 가지를 뻗어 갈라지기 때문에, 누가 기여했는지 정확히 따지기 어렵다.

기원과 결과를 결정하는 이 도전은 학문 분야에 국한되지 않는다. 이것은 인류의 보편적인 문제다. 우리는 특정한 사고 패턴이 언제, 어디서, 누구에 의해 촉발되었는지 기억하는 데 있어, 지독하게 무능하다. 지식이 국가와 분야를 손쉽게 넘나들 만큼 성공을 거두어 특정 인물이나 집단에 공을 돌리려 할 때도 비슷한 일이 벌어진다. 결국 과학은 진정으로 전 세계적이며 심지어 전 우주적인 기획이다.

마지막으로, 우리는 기초 연구가 자동으로 긍정적인 성과로 이어지지는 않는다는 사실을 언제나 유념해야 한다. 과학과 기술은 항상 빛과 그림자를 동시에 가져온다. 새로운 지식은 인류에게 이익뿐 아니라 손해를 끼칠 수도 있다. 플렉스너가 살았던 시대의 핵 기술뿐 아니라 오늘날의 유전자 편집 기술도 이에 해당한다. 플렉스너는 앞서 언급한 에세이에서 핵이라는 새로운 무기를 만드는 데 과학자들이 분명히 규정하기 어려운 애매한 역할을 하며, 파괴적인 방식으로 연구가 활용되는 이유가 "과학자들의 의도가 아닌 인간의 어리석음" 때문이라고 조심스럽게 언급한다. 물론 플렉스너는 에세이를 발표한 직후 몇 년에 걸쳐 고등연구소의 3대 소장이었던 로버트 오펜하이머Robert Oppenheimer가 극악무도한 결과를 불러일으킨 원자폭탄을 개발하도록 도움을 준 사실을 예견할 수 없었다. '원자에 갇혀 있는 무한한 에너지'를 풀어내는 방법을 담은 플렉스너의 글이 발표된 그달에 우라늄을 주제로 한 대통령 자문 위원회의 첫 회의가 열렸고, 이 회의는 아인슈타인이 루스벨트 대통령에게 보낸 편지가 초래한 직접적인 결과였다. 이

회의에서 곧 맨해튼 프로젝트를 비롯해 일본 히로
시마와 나가사키에 핵폭탄을 투하해 그 지역을 파
괴하라는 결정이 내려졌다.

—

1939년의 세계 박람회가 보여주었듯이 '내일의 세
계'를 정확히 틀리지 않고 상상하기란 불가능에 가
까울 만큼 어려운 일이다. 워털루에서 나폴레옹을
패퇴시킨 웰링턴 공작Duke of Wellington은 다음과 같
은 유명한 말을 남겼다. "우리가 전쟁을 치르며 해
야 할 모든 일, 사실은 인생을 살며 해야 할 모든
일은 우리가 모르는 것을 알고자 행동하고 노력하
는 것이다. 내가 '언덕 저편에 무엇이 있는지 추측
하기'라고 불렀던 일이 바로 이것이다." 실제로 철
의 공작이라는 별명을 가진 웰링턴은 은퇴 후 자기
를 찾아온 손님들을 시골의 잘 알려지지 않은 지역
으로 데려가 언덕 뒤편에 어떤 풍경이 펼쳐져 있을

로버르트
데이크흐라프

지 추측하게 했다. 웰링턴은 확실히 이 게임에 뛰어났다.

상상력이란 언덕 너머 미지의 뒤편까지 보는 힘이다. 그리고 호기심은 언덕 너머에 무엇이 있는지 알고 싶어 올라가려는 인간의 타고난 충동이다. 수백만 년의 진화를 거치는 동안 우리의 두뇌는 그런 위험한 행동을 통해 보상받도록 형성되었다. 최근 신경과학자들은 우리가 미지의 영역으로 모험하도록 자극하는 도파민 활성화 회로의 일부를 발견했다.

언덕 뒤에 어떤 풍경이 펼쳐져 있는가? 앞으로 무엇이 발견될 것인가? 우주학자들은 자신이 모르는 것이 얼마만큼인지 정확히 안다는 점에서 운이 좋다. 오늘날 우주의 약 95퍼센트가 불가사의한 암흑 물질로 이루어져 있다. 암흑 물질은 인간, 행성, 항성을 이루는 보통의 물질보다 다섯 배 더 양이 많다. 신비롭고 불가사의한 존재인 암흑 에너지가 우주의 빈 곳 전체에 스며들어 있다. 오늘날 지식의 여러 분야에서 암흑 물질의 비율은 얼마나 될까? 시간이 지나면서 우리가 알고 있다고 여기는 것과 알지 못한다고 여기는 것에 대해 무엇이 밝혀질 것인가? 나는 이 질문들에 대한 미래의 답변 가운데 일부는 지금 우리 사회와 미래 사회가 기초 연구를 얼마나 중요시하고 지지하느냐에 달려 있다고 생각한다.

기초 과학은 일반 대중이 그것이 지지할 가치가 있다는 사실을 설득하고 확신시키기 위해 힘겹게 싸워야 하는 상황에 직면해 있다. 그런 헌신은 일반 대중이 학문의 렌즈를 통해 세상을 바라보는 추가적인 목적과 가치를 폭넓게 이해해야만 실현될 수 있다. 지금 일하고 있는 과학자나 학자들만큼 그 목적과 가치를 전달하기에 적합한 사람은 없다. 이들은 실험실, 서재, 강의실에서 매일같이 연구가 주는 스릴과 흥분을 경험한다. 과학을 지지하는 사람들을 확보하기 위해 실질적인 대책을 마련하고자 하는 과학자들은 마땅히 대중과 접촉하고,

현재 탐험하고 있는 변경지대의 흥미진진한 사실을 사람들에게 전달해야 한다. 유례없는 디지털 소통과 통신 도구가 넘쳐나는 시대에, 대중에게 정보를 주거나 대중과 어울리지 않고 최근의 발견이나 개인적인 경험담을 공유하지 않는 과학자들은 각성해야 한다.

우리는 과학이 제기하는 커다란 질문들에 대중이 매혹된다는 점에 고무될 필요가 있다. 그 질문이 일상의 문제와 아무리 거리가 멀다 해도 말이다. 우주는 어떻게 시작되었고 어떻게 종말을 맞을 것인가? 지구를 비롯해 아마도 우주의 다른 곳에 존재할지 모를 생명은 어디에서 시작되었는가? 뇌 속의 무엇이 우리에게 의식을 주고 우리를 인간답게 만드는가? '내일의 세계'는 우리에게 무엇을 가져올 것인가? 호기심과 상상력은 우리가 모든 인류와 공유하는 심오한 자질이다.

아인슈타인은 1939년의 세계 박람회 자리에서 과학의 대중 참여를 열렬히 요청하면서 연설을 시작했다. "만약 과학이 예술과 마찬가지로 자신의 임무를 전면적으로 완전히 수행한다면, 그 업적이 갖는 외적 의미뿐 아니라 내적 의미까지도 사람들의 의식에 들어가야 한다." 아인슈타인은 수줍어 뒤로 물러서는 대신 앞에 나서는 대중 지식인으로서의 과학자 이미지를 만들었다. 아인슈타인이 그렇게 한 이유는 세계 정세에 관한 자신의 과학적 통찰과 논평을 널리 공유하기 위해서였다. 그는 수학 방정식만큼이나 자기 입에서 나오는 발언과 격언을 완벽하게 가다듬으려고 노력했다.

반면에 플렉스너는 학자들이 이렇게 눈에 띄는 공적 역할을 맡는 것을 탐탁지 않게 여겼다. 그는 학자들은 고립된 상태에서 가장 성공을 거두고 잘 지낸다고 믿었다. 1933년 아인슈타인이 프린스턴에 정착하자 루스벨트 대통령은 즉시 미국에서 가장 유명한 이 이민자를 백악관에 초청했다. 그러자 플렉스너는 그 초청을 중간에서 가로채 아인슈타인 대신 거절의 의사를 표명하며 다음과 같이 답

로버트
데이크흐라프

변했다. "아인슈타인 교수는 은둔 상태에서 과학 연구를 수행할 목적으로 프린스턴에 왔으므로, 불가피하게 대중의 주목을 받는 예외 상황을 절대로 허용할 수 없습니다." 이 사건 이후 아인슈타인은 자기에게 온 편지는 전부 자기가 직접 답장하겠다는 뜻을 분명히 밝혔다.

과학과 사회의 폭넓은 대화가 단지 미래의 재정 지원을 위한 기초 공사를 하는 데에만 필요한 것은 아니다. 그것은 젊은이들이 연구 활동에 매력을 느껴 참여하게 만드는 중요한 역할을 한다. 앞서 주장했지만 널리 공유되는 지식 역시 미래의 기술과 혁신, 경제 성장이 이루어질 비옥한 땅이다. 최신 정보로 무장하고 과학에 소양이 있는 시민들은 기후 변화, 원자력 발전, 백신 접종, 유전자 변형 식품 같은 '고질적인 문제들'에 직면했을 때 더욱 책임감 있는 선택을 할 수 있다. 마찬가지로 과학자들이 잠재적으로 유해한 기술을 개발하는 과정에서 책임감을 가지고 행동하기 위해 과학과 사회

의 대화가 필요하다. 그뿐 아니라 과학의 대중 참
여에는 훨씬 더 중요한 목표가 있다. 그 목표는 정
확성과 진실 추구, 비판적 질문, 건전한 회의론, 사
실과 불확실성의 존중, 자연과 인간 정신의 풍요로
움과 경이로 이루진 과학 문화를 수용하면서 사회
역시 근본적으로 이득을 얻는다는 것이다.

—

핵물리학과 블랙홀 연구로 유명한 물리학자 존 휠
러는 커다란 대문자 U로 우주를 그리곤 했다. 휠러
는 U자의 두 다리 중 하나에 눈을 한 개 그렸다. 우
리는 우주의 눈이다. 인류는 자신을 포함한 우주를
바라보며, 운 좋은 관찰자 가운데 한 명으로 그 광
경에 박수갈채를 보낸다. 아름다움은 그것을 보는
사람의 눈에 있고, 세계와 정신의 아름다움은 우리
안에 있다. 실험과 방정식, 이론과 망원경, 도서관
과 실험실은 하늘에서 저절로 떨어지지 않았다. 우

로버트
데이크흐라프

리는 지구에서 그것들을 전부 손으로 직접 만들었다. 우리는 인간의 지능, 호기심, 용맹함을 활용해 과학 지식을 빠르게 융합하며 인간 존재의 수수께끼를 더 깊이 들여다볼 수 있는 놀라운 시대에 살고 있다.

플렉스너는 두려움 없는 사고방식이 자연과 인간의 정체성에 관한 근본적인 질문에 답하는데 어떤 도움을 주는지, 그 효용을 설명하는 유려한 글을 남겼다. 나는 누구인가? 나는 어디에 있는가? 인간이 된다는 것은 무엇을 의미하는가? 이것이 자연과 인간의 정체성에 관한 근본적인 질문들이다. 사상의 자유는 지식의 진보를 위한 도구일 뿐 아니라 민주주의와 관용의 핵심적인 요소로 인류의 복지에 필수적이다. 예술과 마찬가지로 제한 없이 연구되는 학문은 정신을 고양시키고 일상 너머로 우리의 관점을 드높이며 익숙한 것들을 바라보는 새로운 방식을 제공한다. 그것은 말 그대로 우리의 세계를 변화시킨다. 플렉스너에 따르면 "인류의 진정한 적은 겁 없고 무책임한 사상가가 아니다. 인간의 정신이 감히 날개를 펴지 못하도록 틀에 가두려고 애쓰는 사람들이 인류의 진짜 적이다".

세계 박람회에서 인류는 아주 먼 미래를 내다보았다. 앞으로 5,000년 뒤에 열릴 부식 방지 처리가 된 타임캡슐을 박람회장에 묻으면서, 인류는 아주 머나먼 미래에 우편물을 발송했다. 타임캡슐 안에는 미키 마우스 컵, 《라이프Life》, 다양한 동전들, 여러 일상 용품과 함께 그 시대 인류의 진보와 실패를 담은 아인슈타인의 편지가 있다. 후손들이 읽을 그 편지에서 아인슈타인은 그들이 '자부심과 정당한 우월감'을 갖기를 바랐다. 아인슈타인의 첫 문장은 학문이 인류에게 가져다줄 약속을 이야기하는데, 이것은 박람회에 상당 부분 스며든 정신이었다. "우리의 시대는 창의적인 사람들로 가득하며, 그들의 발명은 우리의 삶을 상당히 편리하게 만들었다."

플렉스너의 에세이 역시 여러 가지 면에서 이와 비슷한 타임캡슐로 간주할 수 있다. 플렉스너는 격동과 불안이 가득하지만 근본적으로 장기적인 전망이 밝았던 시대에 이 에세이를 썼다. 돌이켜보면, 인간의 호기심이 가진 힘에 관한 플렉스너의 통찰은 오늘날의 세계에 무척이나 적절하고 시의성이 있어 놀라울 정도다. 이것이 내일의 세계에도 적용될 것이라고 상상하는 것은 어렵지 않은 일이다.

쓸모없는
지식의
쓸모

—

에이브러햄
플렉스너

I

문명을 위협하는 비이성적인 증오로 가득 찬 세상에서, 남녀노소를 불문하고 아름다움을 함양하고 지식을 기르며 질병을 치유하고 고통을 낮게 하는 데 전념할 수 있도록 일상생활의 성난 흐름에서 온전히 혹은 부분적으로 자신을 분리하는 일은 전혀 이상하지 않다. 마치 종교 광신자들이 고통, 추악함, 괴로움을 동시에 퍼뜨리지 않는 것처럼 말이다. 세상은 항상 유감스럽고도 혼란스러운 곳이다. 많은 시인과 예술가, 과학자들은 그 사실을 무시해왔는데, 그 사실을 수용하면 스스로 마비될 것이라 우려했기 때문이다.

실용적인 관점에서 보면 지적이고 영적인 삶은 표면적으로는 쓸모없는 유형의 활동이다. 그럼에도 불구하고 사람들이 이 활동에 탐닉하는 이유는 다른 방법으로 얻을 수 있는 것에 비해 스스로 더 큰 만족을 얻기 때문이다. 이 글에서 나는 이러한 쓸데없는 만족을 추구하는 일이 어느 정도는 예기치 않은 효용을 끌어내는 원천이라는 사실을 보여줄 것이다.

우리는 물질 만능의 시대를 살고 있다. 이 시대의 주된 관심사는 물질적인 재화와 세속적인 기회를 더 널리 퍼뜨리는 것이다. 그 과정에서 잘못이 없는 사람들이 세속적인 재화를 얻을 기회와 공평하게 받아야 할 자신의 몫을 빼앗기고 있다. 자기 몫을 빼앗긴 이들의 항의는 정당하다. 점점 더 많은 학생들이 그동안 공부하던 학문 분야에서 이탈하고 있는데, 그들이 이탈하고 있는 학문은 학생들의 부모 세대 역시 중요하게 여기고 사회, 경제, 정부 문제 못지않게 시급하게 간주하던 것들이다. 나는 이런 경향이 있다는 사실에 이의를 제기하지 않는다.

우리가 사는 세계는 우리의 감각이 증언할 수 있는 유일한 장소다. 더 나은 세상, 공정한 세상이 되지 않는다면 수많은 사람이 계속해서 침묵하고 슬퍼하며 세상에 적의를 품을 것이다. 나는 학생들이 살아가도록 운명 지어진 세계를 더 예민하게 인식해야 한다고 오랫동안 학교 측에 간청해왔다. 지금도 가끔은 그런 경향이 지나치게 강해진 것이 아닌지 궁금하다. 세계에 영적인 의의를 부여하는 쓸모없는 것들의 일부가 사라진다면 우리가 완전한 삶을 살 충분한 기회를 가질 수 있을까? 다시 말해서 쓸모 있는 것에 대한 우리의 관념이 너무 좁아진 나머지, 변덕스럽게 방랑하는 인간 정신의 가능성을 탐색하기에 과연 적당한지 의문이 든다.

우리는 두 가지 관점에서 이 질문을 바라볼 수 있다. 하나는 과학적인 관점이고, 다른 하나는 인문학 또는 영적인 관점이다. 먼저 과학적 관점을 살펴보자. 나는 몇 년 전 무엇이 유용한지를 두고 조지 이스트먼George Eastman과 대화를 나누었다. 현명하고 온화하며 통찰력이 있고 음악과 미술에 조예가 깊은 이스트먼은 예전부터 유용한 분야의 교육을 증진시키는 데 자신의 막대한 재산을 바칠 것이라고 말했다. 나는 조심스레 전 세계에서 가장 유능한 과학계의 종사자가 누구라고 생각하는지 그에게 물었다. 이스트먼은 고민하는 기색 없이 이렇게 대답했다.

"마르케세 굴리엘모 마르코니Marchese Guglielmo Marconi[무선 통신을 최초로 성공시켜 이를 상용화한 이탈리아의 전기 기술자이자 노벨 물리학상 수상자]지요."

"우리가 라디오를 통해 큰 즐거움을 얻고 있고 무선 통신과 라디오가 인류의 삶에 녹아든 것도 사실이지만, 마르코니의 몫은 사실 미미하다고 생각합니다."

이스트먼은 깜짝 놀랐다. 그가 얼마나 놀랐는지 잊히지 않을 정도다. 이스트먼은 나에게 더 자세한 설명을 요구했고 나는 그에게 대답했다.

"이스트먼 씨, 마르코니는 누구든 대체할 수 있는 인물이었습니다. 무선 통신 분야에서 지금껏 성취한 모든 일에 진정한 공로자를 찾자면, 즉 근본적인 수준의 공로를 한 사람에게만 돌릴 수 있다

에이브러햄
플렉스너

면, 그 주인공은 1865년에 전자기학 분야에서 다
소 현실과 동떨어진 난해한 계산을 한 클러크 맥스
웰Clerk Maxwell 교수일 겁니다. 맥스웰은 1873년에
발표한 논문에 그 추상적인 방정식들을 실었죠. 영
국 학술 협회 모임에서 옥스퍼드 대학교의 헨리 존
스티븐 스미스Henry John Stephen Smith 교수는 이렇게
선언했습니다. '수학자라면 이 논문이 순수 수학의
방법론과 자원을 이미 크게 확장시킨 이론을 포함
한다는 사실을 깨달을 수밖에 없다.' 이후 15년에
걸쳐 여러 가지 발견이 맥스웰의 이론적 작업을 보
충했습니다.

마침내 1887년과 1888년, 아직 남아 있는 과
학 문제였던 무선 신호의 전달자인 전자기파의 검
출과 시연이라는 과제가 해결되었습니다. 베를린
에 있는 헬름홀츠의 연구실에서 일하던 하인리히
헤르츠Heinrich Hertz가 해결의 주인공이었죠. 하지
만 맥스웰도, 헤르츠도 자신의 연구와 작업이 얼
마나 쓸모 있는지 신경 쓰지 않았습니다. 아예 처

음부터 염두에 두지 않았죠. 이들은 실용적인 목적이 없었습니다. 물론 법적인 의미에서 발명의 당사자는 마르코니지만, 마르코니가 대체 무엇을 발명했나요? 고작 마지막으로 기술적인 세부사항을 덧붙였을 뿐이고, 세부사항 가운데 주요 부분은 지금은 거의 폐기된 코히러coherer라는 구식 수신 장치였죠."

헤르츠와 맥스웰은 무엇도 발명하지 못했지만, 그 쓸모없는 이론적 작업은 나중에 솜씨 좋은 기술자에게 포착되어 통신과 공익사업, 오락을 위한 새로운 수단이 되었고, 그 과정에서 공이 비교적 미미한 사람들이 명성을 얻고 천문학적인 돈을 벌었다. 여기서 가장 쓸모 있는 공을 한 이는 누구였을까? 마르코니가 아니라 클러크 맥스웰과 하인리히 헤르츠였다. 헤르츠와 맥스웰은 어떤 것의 쓸모에 대해 생각하지 않는 천재였고, 마르코니는 깊은 생각 없이 쓸모만 생각하는 영리한 발명가였다.

헤르츠의 이름이 나오자 이스트먼은 헤르츠

파동을 떠올렸고, 나는 이스트먼에게 로체스터 대학교의 물리학자들에게 헤르츠와 맥스웰이 정확히 무슨 일을 했는지 물어보라고 제안했다. 이스트먼이 확실히 알아낼 수 있는 사실은 두 사람이 유용성을 전혀 고려하지 않고 자기 일을 해냈다는 점과 과학의 전체 역사에서 궁극적으로 인류에게 유익하다고 드러난 정말로 위대한 발견들은 대부분 유용성이 아닌 단지 호기심을 충족하려는 욕망에서 비롯되었다는 점일 것이다.

"호기심이라고요?" 이스트먼이 되물었다.

"그렇습니다." 내가 대답했다. "유용한 무언가를 만들 수도 있고 그렇지 않을 수도 있는 호기심이야말로 현대 사상의 가장 눈에 띄는 점일 겁니다. 그건 결코 새롭게 생겨난 특징이 아니지요. 갈릴레오와 베이컨, 뉴턴 경의 시기에도 존재했습니다. 호기심은 그 무엇에도 절대로 방해받지 않아야 합니다. 교육기관은 호기심을 기르는 데 이바지해야 하며, 호기심이 지식의 직접적인 실용성과 적용의 고려로 왜곡되는 일을 줄여야만 합니다. 이 과정은 인류의 복지에 기여할 뿐 아니라 인류에게 동등하게 중요한 지적인 흥미를 만족시키는 일에 도움을 줍니다. 이것은 현대인의 지적 생활을 지배하는 열정이라 할 수 있습니다."

II

19세기 후반 하인리히 헤르츠가 헬름홀츠의 실험실 구석에서 눈에 띄지 않게 조용히 진행했던 작업은 이후 여러 세기에 걸쳐 과학자들과 수학자들에 의해 거듭 언급되었다. 우리는 전기가 없으면 속수무책인 세상에 살고 있다. 가장 즉각적이면서 광범위한 실용적인 쓸모를 갖는 발견이 무엇이냐고 묻는다면, 사람들은 그 답이 전기라는 데에 동의할 것이다. 이후 100년이 넘게 전기를 발전시킨 계기

에이브러햄
플렉스너

가 된 근본적인 발견을 한 사람은 누구일까?

답은 흥미롭다. 바로 마이클 패러데이Michael
Faraday다. 그의 아버지는 대장장이였고 마이클은
제본 기술자의 도제였다. 패러데이가 21세가 되던
1812년, 그의 친구가 패러데이를 왕립 연구소에 데
려갔고 그는 험프리 데이비Humphry Davy 경이 맡은
네 개의 화학 강의를 들었다. 패러데이는 강의 내
용을 메모하고 그 사본을 데이비에게 보냈다. 이듬
해인 1813년에 패러데이는 데이비의 실험실 조수
가 되어 화학 문제를 연구했다. 패러데이는 2년 뒤
에 데이비와 함께 유럽 대륙으로 여행을 떠났다.
1825년에 패러데이는 33세의 나이에 왕립 연구소
소장으로 취임해 54년 동안 일했다.

패러데이의 관심은 화학에서 전기와 자기로
옮아갔고, 그는 이 주제를 연구하는 데 나머지 인
생을 바쳤다. 이 분야에서는 중요하지만 해결이 어
려운 작업이 이전부터 존재했는데, 그것은 한스 외
르스테드Hans Oersted, 앙드레 마리 앙페르André Marie

Ampère, 윌리엄 하이드 울러스턴William Hyde Wollaston 이 그 작업을 완수했다. 패러데이는 남아 있는 어려움을 말끔히 해결했고, 1841년에는 전류 유도에 성공했다. 그로부터 4년 후 패러데이는 편광 자기력의 영향을 발견하면서 직업적 경력에서 두 번째 시대를 열었다. 두 번째 시대 역시 첫 번째와 다름없이 빛났다.

패러데이의 초기 연구는 그동안 전기를 통해 현대 생활의 부담을 덜고 사람들의 기회를 늘리는 방식으로 무한한 실용화를 이끌었다. 하지만 후기 연구는 실용적인 결과를 훨씬 덜 생산했다. 그 사실이 패러데이에게 의미가 있었을까? 조금도 아니다. 패러데이는 직업적 경력의 어느 시점에서도 효용과 실용성에는 관심이 없었다. 그는 우주의 수수께끼에 열중했는데 처음에는 화학적 난제, 나중에는 물리적인 난제를 푸는 데 몰두했다. 패러데이는 결코 효용 문제를 염두에 두지 않았다. 효용성을 의식했다면 반드시 쉬지 않는 호기심에 제동이 걸

에이브러햄
플렉스너

렸을 것이다. 결국 효용이 따라오기는 했지만, 효용은 패러데이의 끊임없는 실험에 적용될 수 있는 기준이 아니었다.

오늘날의 전 세계적인 분위기에서, 전쟁을 더욱 파괴적이고 끔찍하게 만들었던 과학의 성취가 과학 활동의 무의식적이고 의도하지 않은 부산물이었다는 사실을 강조하는 것은 시의적절할 것이다. 영국 과학진흥협회 회장인 존 윌리엄 스트럿 레일리John William Strutt Rayleigh 경은 최근 연설에서 과학자들의 의도가 아닌 인간의 어리석음이 현대전에 동원된 요소들의 파괴적인 사용에 어떤 책임이 있는지를 자세히 지적했다. 예컨대 유익한 결과를 무한히 낳았던 탄소화합물의 화학적 성질에 관한 순수 연구는, 벤젠, 글리세린, 셀룰로스 성분에 미치는 질산의 작용이 아닐린염료 산업과 같은 유익한 결과뿐 아니라 좋고 나쁜 쓰임새가 있는 니트로글리세린을 생산하는 결과로 이어졌다.

얼마 뒤 같은 주제로 눈을 돌린 앨프리드 노벨

Alfred Nobel은 니트로글리세린을 다른 물질들과 섞으면 안전하게 취급할 수 있는 고체 폭발물을 만들 수 있다는 것을 보여주었다. 고체 폭발물 가운데 두드러지는 것이 다이너마이트였다. 오늘날에는 알프스산맥이나 다른 산맥을 관통하는 철도 터널을 건설할 때 다이너마이트 덕분에 굴 파는 작업이 수월하다. 물론 다이너마이트는 정치인과 군인들에 의해 남용되었다. 하지만 지진이나 홍수에 대해 과학자를 탓할 이유가 없듯, 이런 남용에 대해서도 과학자들을 비난해서는 안 된다.

독가스도 마찬가지다. 로마의 학자 플리니우스Gaius Plinius Secundus는 거의 2,000년 전에 베수비오 화산 폭발에서 나온 이산화황을 마시고 목숨을 잃었다. 과학자들은 전쟁에 활용하려고 염소 기체를 분리한 것이 아니었다. 겨자 가스도 마찬가지였다. 물론 물질을 사람들에게 이롭게 쓰도록 제한할 수 있었을 것이다. 하지만 비행기 기술이 완벽하게 발전하자 마음과 뇌가 고장 난 사람들은

에이브러햄
플렉스너

사심 없이 오랫동안 연구한 과학자들의 결실이자 악의 없는 발명품인 비행기를, 누구도 생각하지 못하고 누구도 의도적으로 그렇게 만들지 않았음에도 파괴의 도구로 활용할 수 있다는 사실을 알아챘다.

고등 수학의 영역에도 수없이 많은 사례가 있다. 예컨대 18세기와 19세기에 가장 난해한 수학 작업은 '비유클리드 기하학'이었다. 이 기하학의 발명자인 카를 프리드리히 가우스Carl Friedrich Gauss는 동시대인들에게 저명한 수학자로 인정받았지만 비유클리드 기하학 논문을 25년 동안 감히 발표하지 못했다. 사실 무한한 실용성을 가진 상대성이론도 가우스가 괴팅겐에서 수행한 작업이 없었다면 등장할 수 없었을 것이다.

'군론group theory'이라 알려진 이론은 추상적이며 현실에 적용할 수 없는 수학 이론이다. 호기심 많은 사람이 어슬렁어슬렁 시간을 보내다가 별난 길로 이끌린 결과, 군론이 발전했다. 군론은 오늘날 분광학 양자 이론의 기초가 되어 그것이 처음에 어떻게 나왔는지 모르는 사람들에 의해 일상적으로 사용되고 있다.

확률의 미적분을 발견한 수학자들의 진짜 관심은 도박을 이론적으로 설명하는 것이었다. 그 과정에서 학자들은 원래 목표로 한 실용적인 목적을 달성하지 못했지만, 온갖 종류의 보험에 대한 과학적인 기초를 제공했고, 19세기의 방대한 물리학 전반이 이 이론을 기반에 두고 있다.

이와 관련해《사이언스Science》의 최근호에 실린 다음 글을 인용하고자 한다.

알베르트 아인슈타인 교수의 천재성은 이 박식한 수리 물리학자가 15년 전 어떤 수학 원리를 개발했다는 사실이 밝혀지면서 한층 더 높은 평가를 받았다. 아인슈타인의 수학 원리는 현재 온도가 절대영도 근처인 헬륨이 갖는 놀라운 유동성의 수수께끼를 푸는 데 도움을 주고 있다. 미국 화학회에서 열린 분자 간 작용에 관한 학술 토론회를 시작하기 전, 현재 듀크 대학교에 초빙교수로 방문한 파리 대학교의 프리츠 런던Fritz London 교수는 '이상 기체'의 개념에 관한 공을, 아인슈타인 교수가 1924년과 1925년에 출간한 논문에 돌렸다.

1925년에 발표된 아인슈타인의 보고서들은 상대성 이론이 아니라, 당시에는 거의 실용적인 중요성이 없어 보였던 문제들을 다루고 있다. 이 보고서에서 아인슈타인은 이상 기체가 온도 척도의 아래쪽 한계 근처에서 축퇴되어 나타난다고 기록했다. 하지만 모든 기체는 저온에서 응결한다고 알려졌고, 과학자들은 15년 전 아인슈타인의 연구를 간과하고 말았다.

최근에 발견된 액체 헬륨의 양상은 곁길로 빠진 듯 보였던 아인슈타인의 이상 개체 개념에 새로운 유용성을 가져왔다. 대부분 액체는 차갑게 식으면 점성이 증가하고 더 끈적이며 유동하지 않는다. '1월의 당밀보다 차가운'이라는 관용구는 과학자가 아

닌 비전문가의 점성 개념을 표현하지만 그 의미는
매우 정확하다.

그렇지만 액체 헬륨은 골치 아픈 예외다. '델타 점'
이라고 알려진, 절대영도보다 고작 2.19도 높은 온
도에서 액체 헬륨은 높은 온도에서보다 잘 흐르기
때문이다. 사실 액체 헬륨은 기체만큼 흐릿하고 모
호하다. 이 물질이 열을 전도하는 능력이 엄청나다
는 사실은 그 기묘한 양상에 수수께끼를 더했다. 액
체 헬륨은 델타 점에서 상온의 구리에 비해 약 500
배 더 효과적으로 열을 전도한다. 액체 헬륨은 이런
현상을 비롯한 다른 이상 현상들을 통해 물리학자
와 화학자들에게 큰 수수께끼를 남겼다.

런던 교수는 액체 헬륨을 보스·아인슈타인 이상 기
체로 간주하고, 1924년과 1925년에 아인슈타인이
개발한 수학을 사용해 금속의 전기 전도 개념의 일
부를 활용하면 액체 헬륨의 양상을 가장 잘 해석할
수 있다고 주장했다. 간단하게 비유하면, 액체 헬륨
의 놀라운 유동성은 금속에서 전기가 전도될 때 전

자들의 움직임과 비슷하다고 부분적으로 설명할 수 있다.

이제 다른 분야를 살펴보자. 의학과 공중 보건 분야에서는 지난 반세기 동안 세균학이 주도적인 역할을 해왔다. 여기에는 과연 어떤 이야기가 얽혀 있을까?

1870년에 발발한 보불전쟁 이후 독일 정부는 스트라스부르 대학교라는 훌륭한 교육기관을 설립했다. 이 학교에 최초로 부임한 해부학 교수인 빌헬름 폰 발다이어Wilhelm von Waldeyer는 나중에 베를린에서 해부학을 가르쳤다. 발다이어의《회고록Reminiscence》에 따르면, 그가 스트라스부르 대학교에서 첫 학기를 함께 보냈던 학생 가운데 몸집이 작고 눈에 띄지 않으며 독자적으로 행동하는 파울 에를리히Paul Ehrlich라는 17세 젊은이가 있었다. 당시 일반적인 해부학 강의는 해부 조직을 현미경으로 관찰하는 것으로 구성되어 있었다. 에를리히는 해부에는 관심을 기울이지 않았다. 발다이어는 《회고록》에서 다음과 같이 언급했다.

나는 에를리히가 현미경 관찰에 완전히 몰두한 채 책상에 처박혀 오랜 시간을 보낼 것이라는 사실을 일찌감치 알았다. 에를리히의 책상은 온갖 종류의 색칠된 점으로 뒤덮였다. 어느 날 에를리히가 앉아서 작업하는 모습을 보고 책상에 찍힌 무지개색의 화려한 점들로 대체 무엇을 하고 있는지 물었다. 그러자 해부학 정규 과정을 밟으며 첫 학기를 보내는 중이라 추정되는 이 어린 학생은 나를 올려다보며 아무렇지 않다는 듯 "이히 프로비어$^{Ich\ probiere}$"라고 대답했다. 이 말은 "그냥 하고 있어요" 또는 "그냥 장난하는 거예요"라고 번역할 수 있다. 나는 에를리히에게 대꾸했다. "좋아, 계속 장난쳐." 나는 에를리히가 독특한 자질을 지닌 학생이라는 사실을 알고 큰 관심이 생겼다.

에이브러햄
플렉스너

발다이어가 에를리히를 내버려 둔 것은 현명한 처사였다. 에를리히는 의학 교과 과정을 겨우 마치고 학위를 받았는데, 그 이유는 선생들이 보기에 이 학생이 자신의 의학 학위를 실용적으로 활용할 의도가 없다는 점이 명백했기 때문이다. 에를리히는 이후 브레슬라우로 거처를 옮겼고, 존스홉킨스 의과대학을 창립한 웰치Welch 교수의 스승인 율리우스 프리드리히 콘하임Julius Friedrich Cohnheim 교수 밑에서 공부했다. 나는 에를리히가 지식을 활용해야 한다는 생각은 절대로 하지 않았다고 생각한다. 다만 그는 무언가에 흥미가 있을 뿐이었고, 호기심을 갖고 계속 장난을 쳤다. 물론 그 장난은 깊은 본능에 의한 것이었지만, 그 본능은 순전히 과학적이었으며 실용주의적인 동기가 전혀 없었다. 결과는 어땠을까? 하인리히 헤르만 로베르트 코흐Heinrich Hermann Rober Koch와 동료들이 새로운 과학인 세균학을 세웠다면, 동료 학생인 카를 바이게르트Karl Weigert가 에를리히의 실험을 적용해 세균을 염색하고 각자의 차이점을 파악했다. 에를리히는 오늘날 적혈구와 백혈구라는 혈구 형태학의 현대적인 지식을 바탕으로 혈액 도말 표본을 염색하는 방법을 개발했다. 얼마 지나지 않아 전 세계 수많은 병원들이 에를리히의 기술을 활용해 혈액을 검사했다. 즉, 스트라스부르 대학교 내 발다이어의 해부실에서 이루어졌던 에를리히의 아무 목적 없는 장난은 오늘날 일상적인 의료 행위의 중요한 요소가 되었다.

이제 산업 분야에서 무작위로 고른 사례를 하나 들겠다. 이 사례 외에도 쓸모없는 지식의 쓸모를 설명하는 사례가 무척 많다. 피츠버그에 있는 카네기 기술연구소의 베를 교수는 아래와 같이 말했다.

근대 레이온 산업의 창시자는 프랑스의 샤르도네 일레르 베르니고 백작Hilaire Bernigaud Comte de Chardon-net이었다. 알려진 바에 따르면 그는 에테르 알코올에 면약을 넣은 용액을 사용했으며, 이 점성이 있는

에이브러햄
플렉스너

용액을 가는 관을 통해 물에 넣어 가는 실 모양의 니트로셀룰로오스를 응고시켰다. 응고 후 가는 실은 공기 중에 노출된 다음 실패에 감겼다. 어느 날 샤르도네 백작은 프랑스 브장송에 있는 자신의 공장을 시찰했다. 그때 사고가 생겨 니트로셀룰로오스 실을 응고시킬 물이 끊겼다. 이때 작업자들은 물이 있을 때보다 물이 없을 때 실 감는 공정이 훨씬 수월하다는 사실을 발견했다. 건식 방사 공정이 처음 탄생한 날이었다.

III

나는 실험실에서 일어나는 모든 사건이 결국 예상치 못한 실용적인 쓸모로 바뀔 것이라거나 마침내 생겨난 실용적인 쓸모야말로 사실상 정당하다고 주장하는 것이 아니다. 그보다는 '쓸모'라는 단어를 폐기하고, 인간 정신이 자유를 누리게 하자고 간청하는 것이다. 그러면 분명 누구에게도 피해를 주지 않는 괴짜들이 자유로워질 것이다. 물론 귀중한 돈을 조금 낭비할 것이다. 하지만 그보다 훨씬 중요한 것은 우리가 사람들 마음속의 족쇄를 부수고 자유롭게 할 수 있다는 사실이다. 그것은 우리 시대에 겪을 위대한 모험을 위해서이며, 이 모험을 통해 조지 엘러리 헤일George Ellery Hale, 어니스트 러더퍼드Ernest Rutherford, 아인슈타인과 동료들은 수백만 마일에 걸쳐 우주의 가장 멀리 떨어진 곳까지 나아갔고, 다른 한편으로는 원자 속에 갇힌 무한한 에너지를 풀어주었다. 러더퍼드나 닐스 헨리크 다비드 보어Niels Henrik David Bohr, 로버트 앤드루스 밀리컨Robert Andrew Millikan이 원자의 구조를 이해하기 위한 순수한 호기심에서 수행한 작업은 인류의 삶에 변화를 일으켰다.

하지만 이 궁극적이며 예측할 수 없는 실용적인 성과가 러더퍼드나 아인슈타인, 밀리컨, 보어,

에이브러햄
플렉스너

그리고 그들의 동료가 한 작업을 정당화하는 것은 아니다. 그들을 그대로 내버려 두자. 어떤 교육 행정가도 과학자들이 일할 절차와 수단을 직접 지시할 수 없다. 다시 한번 인정하지만 그 과정에서 발생하는 낭비가 방대하게 보일 수 있다. 하지만 실제로는 그렇지 않다. 세균학을 발전시키는 과정에서 생긴 폐기물과 낭비는 루이 파스퇴르Louis Pasteur, 코흐, 에를리히, 테오발트 스미스Theobald Smith를 비롯한 수많은 과학자가 쌓은 업적의 이점에 비하면 아무것도 아니다. 만약 연구가 어떤 쓸모를 가질지, 그 고민이 이들의 마음에 스며들었다면 이런 이점은 결코 쌓이지 않았을 것이다. 과학자와 세균학자라는 이름의 위대한 예술가들은 단순히 자연스런 호기심을 따라 실험실에 퍼져 나간 정신을 전파했을 뿐이다.

나는 유용성과 쓸모라는 동기가 필연적으로 지배적일 수밖에 없는 공대나 법대와 같은 교육기관을 비판하는 것이 아니다. 단지 산업이나 실험실

에서 마주하는 실용적인 어려움이 이곳에서 제기
되는 문제를 해결하거나 해결하지 않을 수 있고,
당시에는 쓸모없는 새로운 시야를 터줄 수 있으며,
실용적이든 이론적이든 미래의 성취를 품에 안는
경우가 종종 생긴다는 사실을 강조하는 것이다.

'쓸모없는' 또는 이론적인 지식이 빠르게 쌓이
면서 과학자들은 실용적인 문제를 해결하려 덤비
는 일이 더 수월해졌다. 발명가들뿐만 아니라 '순
수' 과학자들도 문제 해결에 덤벼들었다. 앞서 발
명가 마르코니를 언급했는데, 마르코니는 인류에
게 도움을 주는 동안 사실 '다른 사람들의 두뇌를
빌렸을 뿐'이었다. 토머스 에디슨Thomas Edison 역시
같은 범주에 속한다. 파스퇴르는 달랐지만 말이다.
파스퇴르는 위대한 과학자였지만 프랑스 포도 덩
굴의 상태나 맥주 양조에 따른 어려움 등 실용적인
문제와 씨름하는 것도 마다하지 않았다. 또한 당면
한 난관을 해결할 뿐 아니라 지대한 영향을 가져
올 이론적인 결론을 도출하는 실용적인 문제와도

씨름했다. 이것들은 당시에는 '쓸모없다'고 여겨지거나 아직 예측할 수 없는 방식으로 나중에 '쓸모 있음'이 드러날 문제들이었다. 에를리히의 호기심은 근본적으로 사변적이었지만 그는 매독 문제에 맹렬하게 달려들었고, 실용적으로 즉각 적용할 수 있는 해결책인 살바르산을 발견할 때까지 끈질기게 연구했다. 그리고 프레더릭 그랜트 밴팅Frederick Grant Banting이 당뇨병 치료제로 인슐린을 발견한 사례나 조지 리처즈 마이닛George Richards Minot과 조지 호이트 휘플George Hoyt Whipple이 악성 빈혈 치료제로 간 추출물을 사용한 사례도 같은 범주에 속한다. 두 가지 모두 철저하고 엄밀한 과학자들이 만들었고, 그들은 실용적인 영향에는 무관심한 채 '쓸모없는' 지식을 쌓다가 과학적인 방식으로 실용적인 문제를 제기할 시기가 무르익었다는 것을 깨달았을 뿐이다.

따라서 과학적인 발견의 공로를 전적으로 한 사람에게 귀속시키는 일을 경계해야 한다는 점이 명백해진다. 모든 발견은 길고 위태로운 역사를 갖는다. 누군가 여기서 한 조각을, 저기서 또 한 조각을 찾아낸다. 한 천재가 그 조각들을 꿰맞춰 결정적인 기여를 하는 나중에야 마지막 단계가 비로소 완수된다. 과학은 미시시피강과 마찬가지로 먼 숲의 작은 개울에서 시작된다. 그러다 다른 시냇물이 합쳐져서 물이 점점 불어난다. 둑을 터뜨릴 만큼 요란하게 흐르는 강은 수많은 원천이 합쳐져 형성된다.

나는 이 주제에 대해 철저하게 다룰 수 없지만 다음과 같이 간단히 말할 수 있다. 앞으로 100~200년 동안 전문학교에서 각자의 분야에 기여한 지식은 나중에 거짓으로 밝혀질 것이다. 실용적인 기술자, 변호사, 의사가 될 사람들의 훈련 과정에서 유용한 지식을 발견한 경우도 그렇게 많지 않을 것이다. 그보다는 엄밀하게 실용적인 목적을 추구하는 데 있어 쓸모없어 보이는 무척 많은 활동이 계속될 것이다. 이런 쓸모없는 활동을 통해 전

에이브러햄
플렉스너

문학교의 설립 목적인 유용성을 성취하는 것보다 인류의 마음과 정신에 엄청나게 중요한 발견이 이루어질 수 있다.

내가 지금까지 다룬 고려사항들을 종합해보면, 정신적이고 지적인 자유가 다른 무엇보다 압도적으로 중요하다고 강조할 수 있다. 내가 거론한 학문의 대상은 경험과학과 수학이다. 하지만 내가 말하고자 하는 바는 음악과 미술을 비롯해 인간 정신을 제약 없이 표현하는 다른 모든 분야에서도 똑같이 적용될 수 있다. 우리는 각 학문 분야가 개인 영혼의 정화와 고취를 통해 만족을 가져다준다는 사실만으로 그 분야를 충분히 정당화할 수 있다. 우리는 암묵적이든 실제적이든 쓸모를 전혀 언급하지 않는 방식으로 단과대학, 종합대학, 연구소를 정당화해야 한다. 인간의 영혼을 자유롭게 하는 이 제도는 학교의 졸업생이 인류 지식에 유용한 공헌을 했는지와 관계없이 충분히 정당화될 수 있다. 시, 교향곡, 그림, 수학적 진리, 새로운 과학적 사실

등 이 모든 것은 단과대학, 종합대학, 연구소에 필요한 모든 정당성을 그 자체로 갖는다.

내가 지금 다루는 주제는 오늘날 시의성이 크다. 특히 독일과 이탈리아의 일부 지역에서는 자유로운 인간 정신을 억압하려는 시도가 이어지고 있다. 대학은 정치, 경제, 인종에 대한 특정 신념을 가진 사람들의 도구로 개편되는 중이다. 이런 상황에서 이 세상에 남아 있는 얼마 안 되는 민주주의 국가의 미혹한 개인들은 제약 없는 학문의 자유가 그렇게 중요한지 의구심을 가질지도 모른다. 하지만 인류의 진정한 적은 용감하고 책임 없는 사상가가 아니다(그 사상가가 옳든 그르든 상관없다). 인류의 진짜 적은 인간의 정신이 날개를 펼치지 못하도록 틀에 가둬 주조하는 사람이다. 영국, 미국뿐만 아니라 이탈리아와 독일에도 한때 이런 자들이 활개를 쳤다.

이것은 새로운 생각이 아니다. 이 생각은 나폴레옹이 독일을 정복했을 무렵, 알렉산더 폰 훔볼트Alexander von Humboldt가 베를린 대학교를 구상하고 설립하는 과정에서 떠올렸던 생각이기도 하다. 또한 앨프리드 길먼Alfred Gilman 의장이 존스홉킨스 대학교를 설립하면서 염두에 둔 생각이다. 이후 미국의 모든 대학은 자기 혁신의 과정에서 어느 정도 이 생각을 추구해왔다. 그것은 불멸의 영혼을 바치는 사람들은 개인적으로 어떤 결과를 얻든 진실하다는 생각이다.

과학이든 인문학이든 영역에 상관없이 정신적 자유의 정당화는 독창성보다 훨씬 더 중요하다. 왜냐하면 그것은 인간의 다양성 범위에 있어 관용을 내포하기 때문이다. 인류의 역사를 볼 때, 인종이나 종교에 기초해 무언가를 좋아하거나 싫어하는 것보다 바보 같고 어리석은 일이 또 있겠는가? 인류는 교향곡과 그림, 심오한 과학적 진리를 원한다. 기독교인의 교향곡, 그림, 과학이나 유대인의 교향곡, 그림, 과학을 바라거나, 이슬람, 이집트, 일본, 중국, 독일, 러시아나 공산주의, 보수주의가 인간 영혼의 무한한 풍요로움을 표현하는 데 공헌하기를 바라지 않는다.

IV

내가 생각하기에 외국인을 대상으로 한 관용의 가장 두드러지고 즉각적인 결과로 인용할 수 있는 사례는, 루이스 뱀버거와 그의 여동생 펠릭스 풀드가 뉴저지주 프린스턴에 설립해 급속히 발전한 고등연구소이다. 고등연구소의 설립 제안 시기는 1930년대였다. 고등연구소가 프린스턴에 자리 잡은 부분적인 이유는 설립자들이 뉴저지주에 애착을 가졌기 때문이다. 하지만 내 생각에 더 근본적인 이유는 프린스턴에 친밀한 협력이 가능한 양질의 소규모 대학원이 있었기 때문이다. 프린스턴 대학교는 고등연구소에 완전히 갚을 수 없는 빚을 지고 있다. 인력의 상당 부분을 가져간 고등연구소는 1933년에 일을 시작했다. 이곳의 구성원들은 저명한 미국 출신 학자들이었고 수학자로는 소스타인 번드 베블런Thorstein Bunde Veblen, 알렉산더Alexander, 모스Morse, 인문학자로는 벤저민 딘 메릿Benjamin Dean Meritt, 로Lowe, 골드먼, 홍보 담당자와 경제학자로는 스튜어트, 지그문트 리플러Sigmund Riefler, 워런, 얼Earle, 데이비드 미트라니David Mitrany가 있었다. 여기에 프린스턴 대학교, 프린스턴 도서관, 실험실에 이미 모여 있었던 동등한 실력의 학자와 과학자들을 추가해야 한다. 무엇보다 고등연구소는 아돌프 히틀러Adolf Hitler 때문에 망명온 학자들의 덕을 보았는데 예컨대 수학 분야에서 아인슈타인, 바일, 폰 노이만, 인문학 분야에서는 에른스트 헤르츠펠트Ernst Herzfeld와 에르빈 파노프스키Erwin Panofsky가 그렇다. 지난 6년 동안 뛰어난 지성의 영향을 받은 여러 젊은이들이 생겨나 미국 학계를 강하게 만들고 있다.

고등연구소는 조직과 조직 구조의 관점에서 볼 때, 상상할 수 있는 가장 단순하고 비형식적인 체제를 고수하고 있다. 이곳은 수학, 인문학, 정치·경제학 분야의 세 개 학교로 구성되어 있다. 각 학교는 정규 교수 집단과 구성원이 매년 바뀐다. 각 학교는 자기 뜻대로 조직을 운영하고, 집단 안에서 개인들은 마음대로 시간과 에너지를 분배해 사용한다. 전 세계 22개국과 미국 39개 고등 교육기관에서 온 구성원들은 자신들이 그럴 가치가 있다고 여기는 여러 집단에 소속된다. 그들은 교수와 다를 바 없이 동등한 자유를 누리며 교수들과 함께 일한다. 때로는 자신에게 도움을 줄 수 있는 사람들에게 상담받으며 혼자서 일하기도 한다. 이곳에서는 정해진 일과가 없고, 교수와 구성원, 방문자 사이에 선을 긋지 않는다. 프린스턴 대학교의 학생과 교수, 연구소 구성원들과 교수들은 서로 구별되지 않을 정도로 자유롭게 어울린다. 그 과정에서 배움이 일어난다. 개인과 사회에 미치는 결과는 각자

처리하도록 남겨둔다. 교직원 회의가 열리지 않고 위원회도 존재하지 않는다. 아이디어가 있는 사람들은 개인의 성찰과 자유로운 의견 교환을 촉진하는 환경을 즐긴다. 수학자들은 다른 데 주의를 분산하지 않고 오직 수학을 연구할 수 있다. 인문학자와 경제학자, 그 아래서 배우는 정치학 전공 학생도 마찬가지다. 행정은 범위와 중요도 측면에서 최소화된다. 아이디어가 없거나 아이디어에 집중하는 힘이 없는 사람들은 더 이상 연구소에 머물지 않을 것이다.

몇 가지 짧은 에피소드를 인용하면 나의 이야기를 분명히 알 수 있을 것이다. 한 하버드 대학교 교수가 프린스턴에 올 수 있는 지원금을 받았다. 교수는 나에게 이렇게 문의했다.

"제가 해야 할 임무는 무엇인가요?"

"당신은 의무가 없습니다. 단지 기회가 있을 뿐이지요."

고등연구소에서 1년을 보낸 유능한 젊은 수학

자가 내게 작별 인사를 하러 왔다. 막 떠나려는 참에 수학자가 말했다.

"올해가 저에게 어떤 의미였는지 궁금하실 겁니다."

"그래요, 궁금하군요."

"수학은 빠르게 발전하고 있고 당장 읽어야 할 논문만 해도 산더미죠. 제가 박사 학위를 딴 지 이제 10년이 지났습니다. 한동안은 제 연구 분야의 흐름을 따라갈 수 있었지만 시간이 지날수록 점점 흐름을 따라가기 어렵고 모든 게 불확실해지더군요. 하지만 여기서 1년을 보내고 나니 마치 창문의 블라인드가 올라간 기분입니다. 방은 밝아졌고 창문은 열려 있죠. 곧장 쓸 수 있는 논문 두 편이 머릿속에 있습니다."

"그런 기간이 언제까지 계속될까요?"

"아마 5년이나 10년 정도가 되겠지요."

"그다음에는 어떻게 될까요?"

"여기로 다시 돌아오겠습니다."

에이브러햄
플렉스너

세 번째 사례는 최근의 일이다. 서부의 한 대규모 대학의 교수가 작년 12월 말 프린스턴에 도착했다. 이 교수는 프린스턴에서 일하는 찰스 루퍼스 모리Charles Rufus Morey 교수와 몇 가지 일을 시작할 계획이었다. 모리 교수는 그 교수에게 연구소에 가서 파노프스키와 게오르크 슈바르첸스키Georg Swarzenski를 만나는 게 좋겠다고 제안했다. 지금 그 교수는 세 사람과 함께 일하면서 바쁜 나날을 보내고 있다.

"저는 내년 10월까지 머무를 겁니다." 그 교수가 덧붙여 말했다.

"이곳이 한여름에 무덥다는 사실을 알게 되겠군요." 내가 말했다.

"전 너무 바쁘고 행복해서 더위를 느끼지도 못할 것 같네요."

이곳에서의 자유는 어떤 사람을 고인 물로 만드는 대신 과로의 위험을 불러일으킬 수 있다. 한 영국인 구성원의 부인은 최근 나에게 "이곳 사람들은 다들 새벽 2시까지 일하나요?"라고 물었다.

고등연구소는 아직 건물이 없다. 수학자들은 파인 홀에 있는 프린스턴 대학교 수학자들의 손님 신분이다. 몇몇 인문학자들은 맥코믹 홀에 있는 프린스턴 대학교 인문학자들의 손님이다. 나머지 학자들은 시내에 여기저기 흩어져 각자의 방에서 일한다. 경제학자들은 프린스턴 레지던스의 스위트룸을 차지하고 있다. 내 숙소는 나소 거리의 한 사무용 건물에 있는데, 여기서 나는 상점주인, 치과의사, 척추 지압사, 학생들 사이에서 지방 정부 연구와 인구 조사를 하는 중이다. 길먼 의장이 60여 년 전 볼티모어에서 보여주었듯이 벽돌과 모르타르는 거의 필요하지 않다. 그럼에도 우리는 비공식적인 만남을 그리워하기 때문에 설립자들이 제공한 풀드 홀이라는 건물에서 이 결함을 개선하는 중이다. 하지만 더 이상 형식적인 무언가는 덧붙지 않을 것이다. 연구소는 작아야 하고, 이곳 구성원들이 여가와 안전, 조직과 일상으로부터의 자유를 원하며, 마지막으로 프린스턴의 동료들이나 프린스턴으로 온 외부 학자들과의 비공식적인 만남을 원한다는 확신을 굳게 지킬 것이다. 외부 학자는 코펜하겐에서 온 보어, 베를린에서 온 막스 테오도어 펠릭스 폰 라우에Max Theodor Felix von Laue, 로마에서 온 툴리오 레비치비타Tullio Levi-Civita, 스트라스부르에서 온 앙드레 베유André Weil, 케임브리지에서 온 폴 에이드리언 모리스 디랙Paul Adrien Maurice Dirac과 고드프리 해럴드 하디Godfrey Harold Hardy, 취리히에서 온 볼프강 파울리Wolfgang Pauli, 루뱅에서 온 프랑수아즈 엘리 쥘 르메트르Françoise Elie Jules Lemaître, 옥스퍼드에서 온 로버트 웨이드 게리Robert Wade-Gery, 그리고 하버드 대학교, 예일 대학교, 컬럼비아 대학교, 코넬 대학교, 존스홉킨스 대학교, 시카고 대학교, 캘리포니아 대학교 등 미국 곳곳의 빛과 배움의 중심지에서 온 사람들이다.

우리는 미래를 약속하지 않지만, 쓸모없는 지식의 제약 없는 추구가 과거와 마찬가지로 미래에 무언가 영향을 끼치고 어떤 결과를 만들어낼 것이라는 소중한 희망을 품고 있다. 하지만 우리는 그런 희망 때문에 이 연구소를 옹호하지 않을 것이다. 이곳은 시인과 음악가처럼 자기가 원하는 대로 할 권리를 획득하고, 그렇게 할 때 가장 크게 성취한 학자들의 천국으로 존재할 것이다.

참고문헌

Alberts, Bruce, Marc W. Kirschner, Shirley Tilghman, and Harold Varmus. "Rescuing U.S. Biomedical Research from Its Systemic Flaws." *Proceedings of the National Academy of Sciences*, Vol. 111, No. 16, April 22, 2014.

Bohr, Niels, and John Archibald Wheeler. "The Mechanism of Nuclear Fission." *Physical Review*, Vol. 56, Issue 5, September 1, 1939.

Bush, Vannevar. *Science, the Endless Frontier*, July 1945 (reprinted July 1960, National Science Foundation, Washington, D.C.).

Einstein's Letter (1939). U.S. Department of Energy, Office of Science and Technical Information, Office of History and Heritage

Resources, www.osti.gov/opennet/manhat-
tan-project-history/Events/1939-1942/ein-
stein_letter.htm.

Flexner, Abraham. *The American College: A Criti-
cism.* The Century Co., New York, 1908.

Flexner, Abraham. *I Remember, the Autobiogra-
phy of Abraham Flexner.* Simon and Schus-
ter, NewYork, 1940.

Flexner, Abraham. *Medical Education in the Unit-
ed States and Canada.* Carnegie Foundation
for the Advancement of Teaching, NewYork,
1910.

Flexner, Abraham. *Universities: American, En-
glish, German.* Oxford University Press,

NewYork, 1930.

Joint Economic Committee. "The Role of Research & Development in Strengthening America's Innovation Economy." U.S. Congress, December 2014.

Massachusetts Institute of Technology. The Future Postponed: Why Declining Investment in Basic Research Threatens a U.S. Innovation Deficit. Cambridge, April 2015.

New York Times. "President Opens Fair as a Symbol of Peace; Vast Spectacle of Color and World Progress Thrills Enthusiastic Crowds on the First Day." May 1, 1939.

Report of the Director, Minutes of the Regular

Meeting of the Institute for Advanced Study. Shelby White and Leon Levy Archives Center, May 22, 1939.

van 't Hoff, Jacobus Henricus. *De Verbeeldingskracht in de Wetenschap*. P. M. Bazendijk, Rotterdam, Netherlands, 1878. Translated by G. F. Springer as *Imagination in Science*(Springer,1967).

Wilson, Robert. "R. R. Wilson's Congressional Testimony." April 1969. Fermilab History and Archives Project, http://history.fnal.gov/testimony.html.

저자소개

에이브러햄 플렉스너^{Abraham Flexner}

1866년 미국 켄터키주 루이빌에서 9남매 중 한 명으로 태어났다. 부모님은 체코의 서부 지역인 보헤미아에서 온 유대인 이민자였다. 하버드 대학교, 존스홉킨스 대학교 등에서 수학했다. 과학과 인문학 분야의 기초 연구를 선도하는 세계적 연구기관으로 알베르트 아인슈타인^{Albert Einstein}, 쿠르트 괴델^{Kurt Gödel}, 앨런 튜링^{Alan Turing} 등 세기의 지성인들에게 학문적 보금자리를 제공한 프린스턴 고등연구소를 설립, 1930~1939년 초대 소장으로 재직했다. 미국의 의학 및 고등교육 개혁에 앞장섰고, 지식의 진보와 교육기관의 학문적 원칙 및 이상을 확립하는 데 지대한 영향을 미쳤다.

로버르트 데이크흐라프 Robbert Dijkgraaf

현 프린스턴 고등연구소 소장. 끈 이론과 과학 교육 발전에 크게 기여한 수리 물리학자이다. 네덜란드 왕립 예술과학아카데미 의장을 지냈고, 현재 아카데미 간 협력단체InterAcademy Partnership 의장을 맡고 있다. 저명한 공공정책 전문가이자 과학과 예술의 옹호자이다.

옮긴이 **김아림**

서울대학교 생물교육과를 졸업했고 같은 학교 대학원 과학사 및 과학철학 협동과정에서 석사 학위를 받았다. 대학원에서는 생물학의 역사와 철학, 진화 생물학을 공부했다. 출판사에서 과학 책을 만들었다. 현재 번역에이전시 엔터스코리아에서 출판기획자 및 전문번역가로 활동 중이다.

쓸모없는 지식의 쓸모

세상을 바꾼 과학자들의 순수학문 예찬

펴낸날   초판 1쇄   2020년 4월 20일
초판 2쇄   2020년 6월 1일

지은이   에이브러햄 플렉스너, 로버트 데이크흐라프
옮긴이   김아림
펴낸이   김현태

책임편집   박은영
디자인   윤소정
마케팅   이원희, 김예원

펴낸곳   책세상
주소   서울시 마포구 잔다리로 62-1, 3층(04031)
전화   02-704-1251(영업부), 02-3273-1334(편집부)
팩스   02-719-1258
이메일   editor@chaeksesang.com
광고·제휴 문의   bkworldpub@naver.com

홈페이지   chaeksesang.com
페이스북   /chaeksesang   **트위터**   @chaeksesang
인스타그램   @chaeksesang   **네이버포스트**   bkworldpub

등록   1975. 5. 21. 제1-517호
ISBN   979-11-5931-473-5 03400

이 도서의 국립중앙도서관 출판예정도서목록(CIP)은 서지정보유통지원시스템 홈페이지
(http://seoji.nl.go.kr)와 국가자료종합목록 구축시스템(http://kolis-net.nl.go.kr)에서
이용하실 수 있습니다. (CIP제어번호 : CIP2020010059)